LES CINQ
VOEUX

LES CINQ VOEUX

Répondez à une simple question
et vos rêves deviendront réalité

Gay Hendricks

Traduit de l'anglais par
Diane Thivierge

Avant-propos de
Neale Donald Walsch

Éditeur : François Doucet
Traduction : Diane Thivierge
Révision linguistique : L. Lespinay
Correction d'épreuves : Nancy Coulombe, Suzanne Turcotte
Design de la couverture : Mary Ann Casler
Montage de la couverture : Matthieu Fortin
Mise en page : Sébastien Michaud
ISBN 978-2-89565-769-9
Première impression : 2008
Dépôt légal : 2008
Bibliothèque et Archives nationales du Québec
Bibliothèque Nationale du Canada

Éditions AdA Inc.
1385, boul. Lionel-Boulet
Varennes, Québec, Canada, J3X 1P7
Téléphone : 450-929-0296
Télécopieur : 450-929-0220
www.ada-inc.com
info@ada-inc.com

Diffusion
Canada :   Éditions AdA Inc.
France :   D.G. Diffusion
                Z.I. des Bogues
                31750 Escalquens – France
                Téléphone : 05-61-00-09-99
Suisse :   Transat - 23.42.77.40
Belgique :   D.G. Diffusion - 05-61-00-09-99

Imprimé au Canada

Participation de la SODEC. $\int$ODEC
Nous reconnaissons l'aide financière du gouvernement du Canada par l'entremise du Programme d'aide au développement de l'industrie de l'édition (PADIÉ) pour nos activités d'édition.
Gouvernement du Québec - Programme de crédit d'impôt pour l'édition de livres - Gestion SODEC.

Catalogage avant publication de Bibliothèque et Archives nationales du Québec et Bibliothèque et Archives Canada

Hendricks, Gay

    Les cinq vœux : répondez à une simple question et vos rêves deviendront réalité
    Traduction de: Five wishes.
    ISBN 978-2-89565-769-9

    1. Succès - Aspect psychologique. 2. But (Psychologie). 3. Vie - Philosophie. I. Titre.

BF637.S8H4614 2008   158.1   C2008-940223-5

À Katie —
nous avons rêvé, espéré, et tous nos vœux se sont réalisés.

Donné par Annie &
Sophie Létourneau
Noël 2008

TABLE DES MATIÈRES

AVANT-PROPOS

de Neale Donald Walsh

Ce petit livre a deux immenses cadeaux à vous offrir : une histoire passionnante doublée d'un nouvel outil pour hâter la manifestation de vos objectifs et de vos rêves. Son volet narratif ne manquera pas de soutenir votre intérêt, de vous réchauffer le cœur et de vous faire rire, tandis que son volet éducatif aura, j'en suis convaincu, un effet de transformation sur votre vie. La découverte qui vous y attend peut vous mener à l'accomplissement de vos plus chers désirs.

La première fois que j'ai entendu parler des *Cinq vœux*, c'était à l'occasion d'un dîner-marathon de trois heures à bord d'un navire de croisière, dans le cadre du festival annuel *Spiritual Cinema Festival-at-Sea*. Nous étions huit convives autour d'une table et Gay se trouvait à mes côtés. Chaque année, des centaines d'amateurs de cinéma édifiant se réunissent pendant une semaine à bord d'un navire pour le simple plaisir de se côtoyer et de regarder des films. Cette année-là, le festival revêtait pour moi une importance toute particulière, car nous allions assister au premier visionnement du long métrage inspiré de mes livres *Conversations avec Dieu*.

Nous ne nous connaissions à peu près pas, Gay et moi, sauf par le biais de nos œuvres respectives, mais nous avons vite sympathisé sur un point : ni lui ni moi n'aimions les conversations de salon. Pour passer le temps, à table, nous avons décidé de nous parler des événements marquants de nos vies, et lorsqu'il a eu fini de me confier ce que vous vous apprêtez à lire, je lui ai demandé en posant la main sur son bras : « Avez-vous déjà raconté ça dans un livre ? »

Heureusement qu'il l'a fait et que vous en profiterez vous aussi. Vous avez là entre les mains les mêmes puissants outils de transformation dont Gay s'est servi, et il vous appartient maintenant de les appliquer à votre propre vie. Si vous cherchez une façon de réaliser vos rêves et souhaitez lire une très belle histoire, alors ce livre est pour vous.

—Neale Donald Walsch,
Auteur de *Conversations avec Dieu*

INTRODUCTION

La conversation qui
a changé ma vie

Un jour, j'ai reçu l'immense cadeau d'une conversation qui a changé ma vie. Un pouvoir jusque-là tapi au fond de moi s'est manifesté et le chemin menant à ma destinée est apparu sous mes yeux. Par la suite, j'ai découvert un procédé extrêmement simple pour amplifier ce pouvoir un peu plus chaque jour, ce qui m'a permis de réaliser tous mes rêves.

J'aimerais aujourd'hui partager ce cadeau avec vous.

Je voudrais que nous ayons ensemble cette même conversation, car il me tient à cœur de vous donner pleinement accès à ce pouvoir de guérison. Je souhaite vous le transmettre et vous enseigner à l'exploiter pour réaliser vos rêves. J'ai reçu ce cadeau à une condition : l'utiliser, le chérir et en faire profiter le plus grand nombre. À mon tour, je vous demande de vous en servir pour accélérer la manifestation de vos désirs et de vos rêves, puis de le partager afin que d'autres puissent à leur tour mettre ce pouvoir au service de la réalisation de leurs vœux les plus chers.

Mais permettez-moi d'abord de vous raconter mon histoire. Tout a commencé, vous vous en doutiez, un soir de pluie et de grands vents...

Nous étions au début des années quatre-vingt, et je m'apprêtais à m'habiller pour une soirée à laquelle je n'avais nulle envie d'assister. J'aurais préféré en cette soirée venteuse de novembre rester tranquillement devant un feu de cheminée à lire et à siroter du thé. La perspective de passer des heures un sourire accroché aux lèvres me réjouissait tout autant qu'une visite au salon de tatouage.

Je n'ai jamais affectionné les mondanités. Tout ce bavardage et cette façon de papillonner d'un invité à l'autre m'épuisent. Mais ce n'était pas l'unique raison. Cette soirée avait ceci de particulier qu'elle devait célébrer les fiançailles d'un de mes amis qui n'en était pas, disons, à sa première union. Cet ami, qui exerçait le métier de thérapeute, était tombé amoureux et s'apprêtait à célébrer son... cinquième mariage.

« C'est la femme de ma vie », avait expliqué Max lors d'un dîner entre amis au restaurant. Nous étions tous thérapeutes et avions plus d'une fois entendu ce genre de déclaration impétueuse de la bouche de nos clients. En vérité, Max nous avait déjà fait le coup plusieurs fois et chacune de ses conquêtes était demeurée la femme de ses rêves jusqu'au jour où elle lui avait adressé un reproche ou exprimé son désaccord. En général, le rêve dégénérait alors en une vulgaire chamaillerie à caractère immobilier. La durée de vie de ces unions étant d'un à deux ans, il m'était difficile de m'enthousiasmer, car je considérais la partie perdue d'avance.

Et puis, il y avait ma propre histoire. Ma relation avec Kathlyn était relativement récente et, bien que très attiré par elle, je percevais déjà les signes avant-coureurs du début de la fin. Je sentais à l'intérieur de moi la bonne vieille peur de l'engagement refaire surface, cette peur qui faisait naître le doute dans mon esprit et me poussait à chercher des motifs de mécontentement.

Elle habitait la ville depuis peu et désirait aller à la fête pour rencontrer des gens. Je m'étais déjà engagé à l'accompagner et je n'avais pas envie d'affronter sa réaction à une éventuelle volte-face de ma part. Je me reconnaissais bien dans cette attitude : celle de quelqu'un prêt à faire quelque chose qui ne lui plaît pas, uniquement pour éviter le désagrément causé par la déception ou la colère de l'autre. En fin de compte, j'ai décidé de ne plus résister et de m'acquitter de mes obligations. J'ai enfilé mon costume et, armé de mon plus beau sourire, je me suis mis en route vers la fête — et la conversation — qui allaient changer ma vie pour toujours.

Au bout d'environ une heure, alors que j'avais consciencieusement fait le tour d'à peu près tous les invités et que je commençais à en avoir assez de jouer les gars sympathiques, on m'a présenté un grand type prénommé Ed. À le voir pianoter nerveusement, j'en ai conclu qu'il s'amusait au moins autant que moi, et lorsque j'ai commenté la chose, il a répondu qu'il exécrait les soirées mondaines — et les échanges de banalités — ce qui me l'a rendu tout à fait sympathique. Je lui ai alors répondu que je le comprenais très bien et il a ajouté :

— Mais j'ai promis de venir, alors me voici.

Enfin un type avec qui j'avais des affinités !

— Eh bien, dit-il, puisque nous sommes ici et que nous n'aimons ni l'un ni l'autre les banalités, évitons de nous engager sur cette voie.

— Marché conclu, ai-je répondu, croyant mettre ainsi fin à un échange qui ne venait en fait que de commencer.

— Aimeriez-vous parler sérieusement ou ne rien dire du tout ? m'a-t-il demandé.

— Bon, va pour la conversation sérieuse alors, ai-je répondu après une courte réflexion.

— Très bien. C'est vous qui commencez ?

— Non, ai-je fait en secouant la tête, vous d'abord.

Ed a fermé les yeux et est resté ainsi un long moment.

— Eh bien, dit-il, un jour j'ai failli mourir.

J'ai cligné des yeux. Nous étions en effet loin du badinage.

J'ai attendu un peu pour voir s'il allait continuer, puis j'ai demandé :

— C'était comment ?

— Sur le coup, ça a été dur, mais je pense maintenant que c'était ce qui pouvait m'arriver de mieux.

— Comment ça ?

— Parce que j'ai reçu en cadeau une question avec laquelle je vis encore aujourd'hui et qui continue de me faire évoluer.

— Quelle était donc cette question ?

— Êtes-vous certain de vouloir l'entendre ? Il se pourrait qu'elle change votre vie, comme elle a changé la mienne.

Il avait réussi à capter toute mon attention, et les bruits de la fête ne me parvenaient plus que de très loin, comme à travers un filtre.

— Oui, l'ai-je assuré, j'aurais bien besoin d'un ou deux changements dans ma vie en ce moment.

— D'accord, m'a-t-il dit en souriant. Premièrement, imaginez que vous êtes sur votre lit de mort… ce soir par exemple, ou dans cinquante ans.

N'ayant jamais envisagé une telle chose, j'ai mis un certain temps à entrer dans le personnage. Une fois celui-ci bien campé, j'ai demandé à Ed de poursuivre.

— Je suis à côté de vous et, plongeant mon regard dans le vôtre, je vous demande « Avez-vous réussi votre vie sur toute la ligne ? »

Il a attendu quelques instant jusqu'à ce que je lui fasse signe de continuer.

— Vous répondez que oui, vous avez réussi votre vie sur toute la ligne, ou bien que non, il y a eu des ratés.

— D'accord… ai-je dit, pour le moins intrigué.

— Si vous répondez que vous n'avez pas réussi votre vie sur toute la ligne, c'est que vous avez vos raisons. Prenons J. Paul Getty, l'homme le plus riche de son époque, il a dit sur son lit de mort qu'il aurait volontiers donné toute sa fortune pour connaître ne serait-ce qu'une fois le bonheur conjugal. Si un seul de ses vœux avait pu être exaucé, c'est celui-là qu'il aurait choisi.

J'étais fasciné par ce que disait Ed, mais je n'en sentais pas moins mon estomac se nouer peu à peu. En quoi tout cela me concernait-il ?

— Si vous me disiez sur votre lit de mort, poursuivit-il, que vous n'aviez *pas* réussi sur toute la ligne, qu'aurait-il dû se passer pour qu'il en soit autrement ?

En voilà une question, me suis-je dit en moi-même !

— Avant d'y répondre, Ed, puis-je à mon tour vous en poser une. Mais qui êtes-vous donc ?

Il s'est mis à rire. J'étais probablement la seule personne à cette soirée qui ne savait pas qui était Ed Steinbrecher. J'ai appris par la suite qu'il s'agissait d'un célèbre astrologue et guide spirituel, et que non seulement c'était l'astrologue préféré de beaucoup de gens importants dans le show-business, mais aussi l'astrologue et le guide personnel de la future épouse de Max, dont on célébrait les fiançailles.

Quoi qu'il en soit, cet homme est arrivé dans ma vie au bon moment et il a plongé au cœur de la problématique qui me hantait : À quoi rimait mon existence ? Quel est mon objectif de vie ? Ai-je une mission sacrée à remplir ?

L'anxiété de tout à l'heure cédait peu à peu la place à une sorte de soulagement, comme si Ed m'avait donné la permission de descendre dans les profondeurs de mon être, là où je n'aurais pas été capable d'aller seul.

— C'est toute une question ! ai-je répondu, si vous me permettez, je vais y réfléchir et vous répondre plus tard.

Il a secoué la tête, en signe d'impatience.

— Plus la question est pénétrante, plus il est important d'y répondre sur-le-champ. Le moment présent est tout ce

dont vous avez besoin. C'est le seul, d'ailleurs
ayons vraiment.

Je me suis senti encore plus soulagé. Il ne s'était pas
laissé prendre à mon petit jeu, moi qui avais la réputa-
tion d'être une véritable anguille, impossible à coincer.
Alors, les yeux fermés, j'ai pris une longue respiration. Du
plus profond de moi, j'ai convié les réponses à se manifester et elles me sont apparues soudainement, comme si
elles attendaient depuis toujours cette invitation à faire
surface.

— Très bien, ai-je dit, voici l'élément capital qui ferait
de ma vie une réussite totale : j'aimerais avoir une relation
suivie avec une femme que j'aime et qui m'aime.

Secouant la tête, Ed m'a arrêté.

— Faites comme si vous étiez réellement sur votre lit
de mort et que vous n'aviez *pas* réussi votre vie, et vous
devez vous exprimer au passé.

Je me suis repris.

✵

Je n'ai pas réussi ma vie sur toute la ligne parce que
je n'ai jamais connu le bonheur d'être longtemps marié
avec une femme que j'aime et qui m'aime. J'aurais
aimé former, avec une femme, un couple épanoui
baignant dans la passion et la créativité.

✵

— Bien, fit Ed en hochant la tête. Dites-moi maintenant
pourquoi cela a tant d'importance à vos yeux.

Bien que n'ayant jamais consciemment réfléchi à la question, je n'ai pas eu de mal à répondre ; au contact de cet homme, les questions les plus pénétrantes devenaient d'une déconcertante simplicité. Je me suis mis en quête des raisons qui motivaient ma déclaration. D'une part, ce genre d'union semblait rarissime dans mon milieu et totalement inexistant dans ma famille d'origine ; ce serait donc une première. D'autre part, le fait d'être toujours amoureux de la même femme serait garant d'un quotidien enrichissant et rempli de joie. Et puis, je me demandais à quoi ma formation et mon expérience pouvaient bien servir si je n'étais même pas capable de connaître un amour durable et véritable avec un autre être humain. N'étais-je pas titulaire d'une maîtrise et d'un doctorat en psychologie et n'avais-je pas aidé des milliers de gens à régler leurs problèmes ? J'ai d'ailleurs soumis la question à Ed, qui hocha la tête pour indiquer qu'il abondait dans mon sens.

— Bon, a-t-il dit, à présent transformez ce vœu en objectif et reformulez-le au présent comme si c'était en train de se passer maintenant.

Je fis l'exercice dans ma tête et voici le résultat :

❖

Ma vie est une réussite sur toute la ligne
parce que je goûte pleinement
un long et heureux mariage avec une femme que j'aime
et qui m'aime, et que nous formons un couple épanoui
nourri par la passion et la créativité.

❖

Je l'ai dit à haute voix devant Ed, qui a écouté attentivement.

— Est-ce là quelque chose à quoi vous aspirez réellement ? m'a-t-il demandé.

— Oui.

— Êtes-vous prêt à vous y investir corps et âme ?

J'ai immédiatement senti mon estomac se nouer sous l'effet de la peur — que dis-je, de la terreur ! Réussissant néanmoins à prendre le dessus, j'ai fini par répondre « oui » et ma peur s'est envolée comme par magie.

C'était comme si un large sourire irradiait de tout mon corps. Je ne savais pas si j'allais y arriver, mais je savais que je mourrais insatisfait si je ne me consacrais pas corps et âme à la poursuite de ce but. Le seul fait de mettre au jour cet objectif et de m'éveiller à son importance capitale dans ma vie décupla mon énergie et ma vitalité. C'était tout mon corps qui s'éveillait soudain.

— Bien, dit Ed, retournez maintenant sur votre lit de mort. Si vous n'avez pas réussi votre vie sur toute la ligne, quelle en est la cause numéro deux ?

J'ai tout de suite su ce que c'était :

❖

J'aurais aimé dire à mes proches tout ce que
je n'ai pas eu la chance de leur dire dans le passé.
J'aurais aimé faire un certain nombre de confessions.
J'aurais aimé dire à certaines personnes à quel point
je les aime et les apprécie. J'aurais aimé pouvoir dire
à ma fille à quel point j'étais triste de ne pas avoir tenu
un certain nombre de promesses.

❖

Ed a résumé en ces termes :

— Vous auriez souhaité avoir dit un tas de choses très importantes à des gens que vous aimez beaucoup.

J'ai hoché la tête, interloqué, sentant tout le poids du non-dit. C'était comme si j'avais passé une grande partie de ma vie à taire des choses qui avaient besoin d'être dites, et j'ai compris que ça avait toujours été comme ça dans ma famille. Nous étions tous passés maîtres dans l'art de l'inachèvement.

Voyant que je n'arrivais pas à sortir de cet état de stupéfaction, Ed m'a invité à ne pas insister sur les aspects négatifs et à poursuivre mon chemin.

— Lorsque vous êtes témoin d'un accident de la route, il est inutile de vous arrêter pour fixer la scène.

J'ai tout de suite compris, et je suis revenu à moi.

— Bon, eh bien maintenant, transformez ce vœu en objectif et formulez-le au présent.

❖

Ma vie est une réussite sur toute la ligne parce que
tout a été dit entre moi, mes parents et mes amis.
Je dis et je fais tout ce qui a de l'importance à mes yeux.
J'avance dans la vie sans jamais laisser derrière moi
de choses importantes à dire ou à faire.

❖

— Pourquoi ce vœu vous tient-il à cœur ?

J'ai répondu que je portais en moi le poids de tout ce que je n'avais pas mené à terme avec mes amis, mes parents et des gens que j'avais perdus de vue. Il y avait beaucoup de non-dit, de promesses non tenues, d'excuses à présenter et de dédommagements à offrir. Je devinais combien je me sentirais plus léger et en paix avec moi-même si j'arrivais à formuler ce que j'avais omis de dire, et à achever ce que j'avais laissé en plan. Même si l'ampleur de la tâche me faisait peur et que je ne savais pas du tout comment j'allais m'y prendre, une chose était certaine : il me fallait à tout prix essayer.

Ed m'a demandé de m'engager à atteindre cet objectif.

Dès que j'ai eu pris cet engagement, je me suis de nouveau senti énergisé et plus léger, comme si toutes les cellules de mon corps souriaient en même temps.

Il m'a alors demandé quel était mon troisième vœu, et je n'ai eu cette fois-ci aucun mal à le formuler :

❖

J'aurais aimé produire une transcription
exhaustive de tout ce que j'ai appris
d'important lors de mon séjour sur terre.

❖

Le parcours que j'avais choisi était d'enseigner et d'écrire, mais j'avais l'impression d'avoir enseigné et écrit sur des choses qui ne me tenaient pas vraiment à cœur. J'étais encore sous l'emprise de la tradition scientifique fondée sur l'objectivité, et mes observations se faisaient toujours avec le recul d'usage. Or, je sentais grandir en moi le besoin pressant de m'adonner à des recherches beaucoup plus personnelles. Jamais le monde des senti-ments n'avait encore été exploré d'un point de vue à la fois scientifique et personnel. Je souhaitais mettre par écrit mon cheminement personnel afin que ceux que cela pourrait intéresser puissent en prendre connaissance. Mais plus que tout, je me sentais grisé à l'idée d'écrire sur ce qui me passionnait réellement. Je savais que j'allais mourir insatisfait si je ne prenais pas la peine de me livrer sans détours, et d'exploiter au maximum mon potentiel de créativité.

— Excellent, fit Ed, à présent, transformez ce vœu en objectif à poursuivre dès maintenant.

❖

Ma vie est une réussite sur toute la ligne
parce que j'écris sur des sujets
que je considère comme sacrés.
Je rends compte par écrit de tout ce que j'apprends
et qui revêt de l'importance à mes yeux.

❖

Plus la conversation progressait, plus j'avais l'impression d'irradier sous l'effet de l'exaltation. Ed, de son côté, arborait un large sourire et je remarquai qu'un petit attroupement s'était formé autour de nous, sans doute à cause de l'énergie que nous dégagions.

— Passons maintenant à votre quatrième vœu sur votre lit de mort.

À cette étape, j'avais tellement le vent dans les voiles que les mots sont sortis tout seuls :

✻

J'aimerais avoir de Dieu et du divin une compréhension autre qu'intellectuelle, et pouvoir la ressentir profondément dans mon être.

✻

— Formidable, dit Ed, ce vœu était parmi les miens lorsque j'ai fait l'exercice.

Transformez-le maintenant en objectif.

✻

Je sens à chaque instant la présence de Dieu partout où je vais. Je sais ce qu'est le divin, et comment l'univers a été créé.

✻

Ed hochait la tête, comme si c'était tout ce qu'il y a de plus banal comme objectif. Lorsqu'il m'a demandé d'en expliquer l'importance, je lui ai dit que j'avais toujours été allergique aux discussions intellectuelles portant sur la religion, et ce depuis l'enfance. Je crois qu'une partie de moi a toujours pressenti le pouvoir destructeur des croyances qui divisent les humains et la stérilité des notions intellectuelles éloignées de l'expérience directe.

— Y en-a-il un cinquième ? s'est enquis Ed.

Il y en avait un.

❊

Je n'ai pas réussi ma vie sur toute la ligne
parce que je n'ai pas su prendre mon temps.
Je ne me suis jamais arrêté pour
goûter chaque instant précieux.

❊

— Merveilleux, fit Ed, faites-en un objectif.

❊

Ma vie est une réussite sur toute la ligne parce que
j'apprécie chaque instant qu'il m'est donné de vivre.

❊

Je savais exactement pourquoi je souhaitais goûter chaque instant. J'ai grandi dans un milieu où les gens étaient malheureux. Certains avançaient dans la vie comme des automates, trimant dur sans jamais rien laisser paraître du désespoir qui les habitait ; d'autres vivaient dans la souffrance. Or, il me semblait que parmi ces gens-là, beaucoup alimentaient malgré eux leur propre souffrance. Personnellement, rien de tout cela ne m'attirait. Je ne savais pas encore exactement quel était le sens de la vie, mais j'étais à peu près certain que cela ne se résumait pas à « naître, souffrir et puis mourir ».

— Où en êtes-vous dans la réalisation de chacun de ces objectifs ? m'a lancé Ed.

J'ai répondu en toute honnêteté que ce n'était pour l'instant qu'un ramassis de bonnes idées.

— C'est là où j'en étais moi aussi lorsque j'ai entrepris ma démarche, m'a-t-il confié.

Je lui ai demandé d'élaborer sur l'épisode de sa vie où il a frôlé la mort et il m'a expliqué que devant l'éventualité d'une mort prochaine, il s'est mis à souhaiter avoir fait certaines choses qui auraient donné un sens à sa vie. Il s'est aperçu cependant qu'il n'avait pas mis la barre assez haute. Pourquoi ne pas en profiter pour se souhaiter une vie merveilleuse et en tous points comblée ? C'est alors qu'il s'est promis, et qu'il a promis à Dieu, que s'il avait la chance de s'en sortir vivant, il mettrait toute son énergie à réaliser de grandes choses.

Il a recouvré la santé et s'est consacré avec succès à la réalisation de tous ses objectifs.

— C'est pourquoi, lorsque c'est possible, de poursuivre Ed, je demande à quiconque semble posséder la plus petite étincelle de conscience de s'imaginer sur son lit de mort afin de découvrir ce qu'il aurait aimé avoir accompli.

Nous nous sommes regardés en silence pendant un moment. Tout avait été dit. Après m'avoir serré la main, Ed s'est dirigé vers la sortie.

— Attendez, ai-je lancé, auriez-vous un dernier conseil à me donner ?

— Mettez-vous immédiatement à l'ouvrage, s'est-il contenté d'ajouter en me faisant un clin d'œil.

J'ai suivi son conseil et me suis réellement mis à l'ouvrage.

Les pages qui suivent retracent mon cheminement. Les cinq premiers chapitres portent chacun sur un vœu et sur les défis que j'ai dû relever pour qu'il se réalise. Entre le premier et le deuxième chapitre, j'ai intercalé une leçon de sagesse qui me permet depuis deux décennies de vivre chaque jour un peu mieux. Dans le dernier chapitre, vous trouverez des instructions détaillées sur la façon de réaliser vous aussi vos cinq vœux. Vous apprendrez ce qui vous a empêché jusqu'ici de les accomplir et comment dresser un plan menant à leur réalisation. J'aimerais maintenant que vous m'accompagniez sur le chemin de l'amour tracé par mon premier vœu.

CHAPITRE UN

MON PREMIER VŒU

Un amour durable

Vous vous souvenez du premier vœu que j'ai formulé sur mon lit de mort imaginaire ?

❊

J'aurais aimé connaître le bonheur d'être longtemps marié avec une femme que j'aime et qui m'aime.

❊

POURQUOI CE VŒU ?

Au moment où j'ai fait part à Ed de mon vœu le plus cher, je ne soupçonnais même pas qu'il fut possible de l'atteindre, n'ayant jamais rencontré personne dont le mariage correspondait à cette description. Je n'avais au fond de moi que des miettes d'espoir. Par contre, je formais depuis peu un couple avec Kathlyn, une femme remplie de bonne volonté et dotée d'un esprit d'aventure incommensurable, d'un cœur d'or et d'une grande lucidité. Je n'avais jamais encore rencontré de femme réunissant toutes les qualités que je recherchais chez une compagne. À l'époque, malheureusement, j'étais occupé à saboter cette magnifique relation comme je l'avais fait si habilement pour tant d'autres. Mon indécision, ma réticence à m'engager et mon incapacité à résister aux autres femmes constituaient autant de bâtons dans les roues.

Je me souviens d'Alice, mon premier amour. Tout adolescent et émerveillé que j'étais, cela ne m'a pas empêché de voir Kathy et Joyce en cachette. Puis, il y a eu Linda, ma première femme. Bien avant de la quitter, je voyais déjà Barbara et Jane. Vint ensuite Carol, qui s'est plainte pendant cinq ans de ma difficulté à m'engager. Tout en m'évertuant à lui répéter qu'elle avait tort, je m'envoyais discrètement en l'air avec Nancy, Donna, Barbara et plusieurs autres dont j'ai oublié le nom. Alors dès l'instant où Kathlyn, qui incarnait la femme de mes rêves, est entrée dans ma vie, je me suis empressé de commencer à voir Lynne en cachette.

J'en étais donc là : engagé dans ma relation avec Kathlyn, mais prêt à me désister à la première occasion. Dès que j'ai eu formulé mon premier vœu, j'ai commencé à sentir fermenter en moi toutes sortes d'émotions. Pour la première fois, je me suis demandé pourquoi j'insistais pour me scinder en deux, prétendant être quelque part alors que j'étais ailleurs. Je voyais enfin clairement la dynamique dont j'étais prisonnier. J'avais toujours cru que ce type de comportement était normal et je me rendais compte que non seulement c'était un problème, mais que c'était le problème.

En un sens, les comportements à répétition sont ignorés jusqu'à ce qu'ils effleurent la surface de la conscience. Personnellement, j'avais pris une assurance complémentaire pour être certain que cela ne se produise jamais : je détenais tous les arguments nécessaires pour justifier mon comportement à mes propres yeux. En effet, je ne me gênais pas pour affirmer que la monogamie était faite pour les empotés qui acceptaient de se faire mettre en laisse et non pour les rebelles sauvages, libres comme moi !

Mais je m'apercevais tout à coup que cette philosophie n'était qu'une coquille vide — et fausse en plus. Pis encore, je commençais à soupçonner que cela faisait partie d'un mur de défense que j'avais réussi à ériger pour m'empêcher de développer un potentiel qui me faisait atrocement défaut. Je me suis alors demandé d'où me venaient les croyances sous-jacentes à mon problème, et il m'a suffi d'une fraction de seconde pour trouver la réponse.

C'est ainsi que ma vie avait commencé. En somme, j'étais « tombé dedans » en venant au monde.

Voyez-vous, mon père est décédé peu de temps après que j'ai été conçu, si bien qu'à ma naissance, ma mère était en deuil et au chômage, avec un enfant à charge. En désespoir de cause, elle m'a confié à ma grand-mère qui m'adorait et qui a accepté volontiers de s'occuper de moi. Cette femme, qui avait élevé quatre filles, avait toujours voulu un garçon et à soixante-cinq ans, elle pouvait enfin vivre son rêve. Vint un jour, cependant, où ma mère, sous l'effet de la culpabilité et de l'instinct maternel, a décidé de me reprendre. Mais elle a bientôt changé d'avis et m'a renvoyé chez ma grand-mère, et le cirque a continué ainsi pendant sept ans. C'était une sorte de garde partagée avant la lettre.

Pourtant, c'est ma grand-mère que je considérais comme ma vraie mère, alors que je voyais ma mère comme quelqu'un chez qui j'allais en visite de temps à autre. Comme elles habitaient pratiquement l'une en face de l'autre, il m'était facile de me réfugier dans les bras chauds et tendres de ma grand-mère lorsque les choses se corsaient chez ma mère, ce qui finissait presque toujours par arriver. Si j'avais eu mon mot à dire, je n'aurais probablement jamais dormi chez ma mère. Mais un jour, pourtant, elle a insisté pour que j'aille vivre chez elle en permanence et lorsque j'ai eu l'âge d'aller à l'école, les nuits passées chez ma grand-mère se sont graduellement espacées. Il n'est pas étonnant, lorsque j'y songe aujourd'hui, que la perspective de vivre avec une seule femme me donnait l'impression d'être en prison !

Le lien entre mon passé et mon attitude d'alors était si évident que je me demandais comment il se faisait que je n'en avais pas pris conscience avant d'arriver à la trentaine. D'un côté, je me comptais chanceux de m'en être aperçu, d'un autre, je me sentais stupide d'avoir mis tellement de temps à m'en rendre compte.

COMMENT MON VŒU S'EST RÉALISÉ

✧

Je goûte pleinement un long et heureux mariage avec une femme que j'aime et qui m'aime.

✧

Je me souviens à quel moment précis j'ai réalisé que mon petit jeu était terminé, et où j'ai su que je ne passerais pas le reste de ma vie à reproduire un comportement destructeur prenant ses racines dans l'enfance.

Peu après avoir énoncé mes cinq vœux, je suis allé rendre visite à Dwight Webb, un ami et mentor qui habite le New Hampshire. Kathlyn était restée au Colorado, où nous habitions alors tous les deux. Un jour que Dwight était parti donner un cours et que je me trouvais seul dans le magnifique pavillon qu'il avait construit de ses mains, je me suis mis à en faire le tour, en admiration devant les nombreux détails, et c'est alors que j'ai eu une sorte de révélation. J'ai compris qu'il existait une seule façon de savoir si j'avais ce qu'il fallait pour bâtir le genre de relation à laquelle j'aspirais, et cela consistait à m'engager à fond dans cette entreprise, indépendamment de la tournure des événements. Je devais choisir en toute liberté de prendre un engagement susceptible de placer sur ma route des obstacles si considérables qu'ils me donneraient envie d'abdiquer en désespoir de cause. Cependant, l'obligation morale dans laquelle je me trouverais devait être telle que je me sentirais forcé de tenter l'impossible pour les vaincre. La véritable difficulté consistait à m'engager sans connaître d'avance la nature de ces obstacles !

Je me suis engagé sans perdre une seconde. Puis j'ai décroché le téléphone pour parler à Kathlyn de ce que je venais de découvrir. Je lui ai dit que je ne saurais jamais si la relation de mes rêves était possible à moins de m'y engager corps et âme.

— Je veux prendre un engagement, celui de vivre avec toi dans la passion et la créativité jusqu'à la fin de mes jours. Qu'en dis-tu ?

Il a y eu un silence au bout du fil, puis je l'ai entendue qui pleurait doucement.

— D'accord, a-t-elle fini par répondre.

Ce fut alors comme si tout mon corps s'était mis à sourire.

— C'est merveilleux, je suis si heureux. Je m'engage à tout faire pour que nous ayons une vie comme celle-là, et à considérer tout ce à quoi je pourrais être confronté en chemin — attirance pour une autre femme, peur, désespoir ou autre — comme de vieux fantômes remontant à la surface pour me faire dévier du chemin que je me suis tracé. Je promets de ne pas abdiquer jusqu'à ce que nous ayons réussi à bâtir la relation de nos rêves ou jusqu'à ce que nous décidions d'abandonner la partie.

— Je te promets de faire la même chose, répondit-elle.

❖

C'était il y a plus de vingt-cinq ans et tous mes rêves se sont réalisés depuis. En fait, la réalité a largement dépassé mes plus folles espérances. En chemin, Kathlyn et moi avons élevé deux enfants qui sont aujourd'hui des adultes bien portants, coécrit dix livres, voyagé beaucoup pour donner des séminaires sur les relations de couple, affronté l'auditoire de l'émission *Oprah* et celui de centaines d'autres, traversé quelques tempêtes et connu de nombreux moments d'extase.

Aujourd'hui, lorsque les gens me demandent s'il est possible d'aimer de façon durable, je peux les regarder droit dans les yeux et répondre « oui ». Je sais que c'est possible. Je peux leur offrir non seulement de l'espoir et des encouragements, mais une idée réaliste du chemin à emprunter pour y arriver. Je sais — jusque dans mes os — ce qu'il faut d'attention et d'engagement pour réussir une telle union.

Et je peux leur dire également que chaque instant de vigilance en vaut la peine car, au moment même où je leur tiens ces propos, je savoure ma récompense : la lueur d'amour et de sérénité émanant d'un cœur en harmonie avec lui-même.

INTERMÈDE

Et un miracle se produisit

Peu après avoir décidé de me lancer corps et âme dans ma relation avec Kathlyn, un miracle s'est produit et je suis persuadé que c'est grâce à la solidité de mon engagement. Au fur et à mesure que notre amour grandissait, j'ai constaté à plusieurs reprises que la force de notre engagement faisait remonter à la surface des peurs profondément enfouies, d'anciennes blessures et de vieux schémas de comportement dont il fallait me débarrasser pour pouvoir donner et recevoir de l'amour. Alors que je me consacrais à la réalisation de mon premier vœu, j'ai été confronté à mon premier obstacle de taille, et j'ai vraiment cru ne jamais pouvoir le surmonter. C'est en cherchant à me sortir de cette impasse que j'ai fait une découverte qui s'est révélée un remarquable outil de transformation qui me guide encore à ce jour. Laissez-moi vous raconter cet épisode de ma vie, afin que vous puissiez saisir l'utilité de cet outil dans votre propre vie.

À l'époque où j'ai eu avec Ed la conversation qui devait changer ma vie, ça faisait au moins deux ans que j'étais aux prises avec un différend concernant une maison dont je ne voulais pas vraiment, mais dont je n'arrivais pas à me détacher. En fait, je n'avais jamais vraiment voulu l'acheter, car au départ, je la trouvais laide et au-dessus de nos moyens, mais la femme avec qui j'étais à ce moment-là s'en était entichée et j'avais cédé à ses pressions, car je voulais la rendre heureuse. C'était l'époque où je croyais, à tort, que l'achat d'une propriété pouvait faire le bonheur de quelqu'un. J'ai compris par la suite que le fait de consentir à l'achat d'une maison que je trouvais laide était une façon d'éviter de faire face à une autre réalité tout aussi laide : je n'avais plus du tout envie de ma relation avec cette femme. Lorsque j'ai finalement rompu avec elle, cette maison est restée au cœur d'un interminable conflit.

Au moment de notre rupture, Carol et moi-même avions accumulé un capital dépassant largement les 100 000 en dollars d'aujourd'hui. Personnellement, je souhaitais qu'elle me rachète ma part ou que l'on vende la maison afin de récupérer mon argent, mais Carol voulait continuer de l'habiter, même si elle ne disposait que de 10 000 $ sur les 50 000 $ qu'elle aurait dû me verser.

Nous étions dans une impasse.

Les mois ont passé et cela faisait bientôt un an que nous étions séparés, et je continuais toujours à payer la moitié des versements hypothécaires pour une maison que non seulement je n'habitais pas, mais que je n'aimais pas. Les choses se sont corsées lorsque j'ai décidé d'emménager avec Kathlyn, car nous ne pouvions alors nous permettre qu'un tout petit loyer ; et dès que nous avons mis les pieds dans cet appartement, nous n'avons plus eu qu'une idée en tête : en sortir au plus tôt. La seule qui semblait heureuse dans tout cela, c'était Carol. Elle vivait dans une maison qu'elle aimait pour seulement la moitié du coût ! Au fur et à mesure que le temps passait, la maigre satisfaction que je retirais de contribuer au bonheur de Carol s'effritait au point de dégénérer en amertume et en jalousie.

Je n'avais jamais vraiment frayé avec ce genre d'émotions auparavant et, à vrai dire, elles ne m'allaient pas très bien. Un jour que j'étais aux prises avec un excès de colère contre Carol, j'ai décidé de méditer en espérant que cela calme ma fureur et j'ai eu la révélation suivante : j'ai aperçu, dans ma tête, une image représentant un rocher planté au milieu d'une rivière et je me suis rendu compte que l'argent n'était en fait qu'une forme d'énergie. J'ai compris du même coup que mon acharnement à obtenir ce qui m'était dû constituait un énorme blocage énergétique, une sorte de rocher au milieu de ma rivière. En restant enchaîné à une maison dont je ne voulais plus, jusqu'à ce que Carol m'ait versé la totalité des 50 000 $, je bloquais ma propre énergie et je restais, d'une façon tordue, liée à Carol.

C'est alors que mon esprit a fait un saut quantique et que j'ai envisagé de lui laisser ma moitié de la maison contre une somme équivalant à ce qu'elle avait les moyens de me donner. Je me demandais si cet acte de générosité librement consenti aurait le pouvoir de débloquer mon énergie, afin que l'argent me revienne par la bande. D'un point de vue logique, c'était une aberration, mais j'avais tellement l'intuition que c'était la chose à faire que j'ai décidé d'y donner suite. Plus tard dans la journée, j'en ai parlé à Kathlyn.

Elle a ravalé sa salive lorsque je lui ai fait part de mon intention de me départir de ma propriété, car c'était tout ce que je possédais de tangible à l'époque. Cependant, elle s'est aussitôt ravisée lorsqu'elle a compris le parallèle entre l'argent et l'énergie qui m'avait été révélé lors de ma méditation. Elle pensait, tout comme moi, qu'il me fallait lâcher prise et me libérer de cette moitié de maison. J'ai tout de suite appelé l'avocat de Carol, qui m'a confirmé qu'elle disposait toujours des 10 000 $ et je lui ai dit ceci :

— Je suis prêt à lui laisser ma part de la maison contre cette somme.

— Vraiment ?

Je discernais dans son ton un mélange d'étonnement et de scepticisme.

— Oui, ai-je répondu, elle aime cette maison et mérite de l'habiter. Je vais trouver une autre façon de gagner les 40 000 $ qui manquent.

Il m'a lors demandé ce que je voulais dire et je lui ai expliqué le parallèle que j'avais découvert entre l'argent et l'énergie. Il a écouté poliment, bien que je le soupçonne d'avoir pensé que j'étais fou ou drogué.

Je m'occupe tout de suite des papiers, a-t-il conclu.

L'encre avait à peine séché sur le contrat que l'abondance a réellement commencé à se manifester. J'ai signé un contrat pour l'écriture d'un livre, et reçu une offre substantielle pour des services de consultation auprès de nulle autre que l'Armée américaine. J'avais pour mandat de dispenser un tout nouveau type d'aide aux employés de l'Armée affectés aux problèmes de dépendance à l'alcool et aux drogues. Et j'ai bouclé l'année avec, en bout de ligne, bien plus que les 40 000 $ auxquels j'avais renoncé au profit de Carol. Pour couronner le tout, Kathlyn et moi avons déniché une magnifique maison dans le quartier où nous souhaitions nous établir. Et tout s'est bien terminé pour Carol aussi : elle a fini par épouser un homme qui aimait bien la maison.

Pour moi, le plus important dans tout cela a été de comprendre un principe miraculeux qui n'a cessé depuis d'avoir des effets positifs sur ma vie. Outre de m'avoir ouvert les yeux sur le fonctionnement de l'énergie, ce cadeau a été pour moi un merveilleux outil de guidance qui m'a permis de naviguer sans encombres dans un monde que je ne connaissais pas jusqu'alors. J'en ai retenu que tout ce qui n'est pas terminé a le même effet qu'un rocher au milieu d'une rivière : l'eau doit le contourner pour continuer à couler. Si les rochers ne sont qu'au nombre d'un ou deux, la circulation de l'eau est légèrement perturbée, mais s'ils commencent à s'empiler, nous obtenons une digue et en un rien de temps la rivière sort de son lit et l'eau va n'importe où.

Pour ramener le courant dans la bonne direction, il faut terminer toute tâche importante laissée en plan. L'acte même d'achever quelque chose, surtout si une quelconque charge émotive s'y rattache, est un outil extrêmement puissant pour attirer l'amour, l'argent, la santé et toute autre chose qui revêt de l'importance à vos yeux. Il faut réellement le voir — et le sentir — pour le croire, et c'est ce que je m'apprête à vous faire connaître.

CHAPITRE DEUX

MON DEUXIÈME VŒU

L'achèvement

Mon deuxième vœu touchait tout ce qu'il y avait d'inachevé dans ma vie, et j'ai vite fait une découverte en la matière : tout acte visant l'achèvement de quelque chose d'important se traduit par la libération d'un pouvoir caché, véritable rampe de lancement pour la manifestation des désirs. Chaque fois que je terminais quelque chose ayant une charge émotive, je libérais une nouvelle vague d'énergie me propulsant vers l'atteinte de mes objectifs les plus chers.

Achever veut dire terminer quelque chose, le rendre complet ; et moi seul savais l'énergie et le pouvoir qui étaient dévorés par les choses non achevées, donc incomplètes. J'ai découvert tout ce que je pouvais récupérer d'énergie, de légèreté et de pouvoir en terminant ce que j'avais commencé de manière à le rendre entier et à retrouver du même coup mon intégrité. Voici comment j'ai d'abord formulé mon vœu :

✵

*J'aurais aimé dire à mes proches
tout ce que je n'ai pas eu la
chance de leur dire dans le passé.
J'aurais aimé faire un certain
nombre de confessions.
J'aurais aimé dire à certaines personnes
à quel point je les aime et les apprécie.
J'aurais aimé pouvoir
dire à ma fille à quel point j'étais triste
de ne pas avoir tenu
un certain nombre de promesses.*

✵

Et voici comment j'en ai fait un objectif :

✵

*Ma vie est une réussite sur toute la ligne parce que
tout a été dit entre moi, mes parents et mes amis.
Je dis et je fais tout ce qui a de l'importance à mes yeux.
J'avance dans la vie sans jamais laisser derrière moi
de choses importantes à dire ou à faire.*

✵

À L'ÉPOQUE

Je viens d'une famille de réfugiés et de fugitifs. Avant de formuler mon deuxième vœu, je n'avais jamais perçu aussi clairement cet aspect de mon héritage familial. J'ai choisi ce vœu parce que je ressentais alors tout le poids des nombreuses choses que j'avais fuies et laissées en plan au fil des ans.

Enfant, j'habitais près d'une voie ferrée et je crois n'avoir jamais vu de train sans souhaiter être à bord. J'ai dû attendre la cinquantaine pour trouver ma véritable maison, aussi bien celle qu'il y a à l'intérieur de moi que celle que j'habite dans mon coin de pays. Avant cela, j'avais toujours l'impression d'être en partance et d'avoir secrètement envie d'être ailleurs, où que je sois.

Lorsque j'ai entrepris d'achever tout ce que j'avais mis de côté par le passé, j'ai compris que j'avais reproduit un type de comportement qui avait servi plus d'une fois dans ma famille.

Quelques recherches m'ont appris que mon père et mon grand-père maternel s'étaient tous deux enfuis de la maison à l'âge de seize ans. Vers 1890, mon grand-père a volé un mulet sur la ferme familiale pour aller chercher fortune au cœur de la Floride, que l'on venait tout juste de coloniser à l'époque. Lorsqu'on lui demandait pourquoi il avait fait cela, il donnait une réponse pleine de drôlerie et de perspicacité. « Le travail de la ferme, disait-il, vous fait mourir dans la fleur de l'âge ou vous endurcit suffisamment pour que vous viviez vieux. Personnellement, je n'ai pas plus d'attirance pour l'un que pour l'autre ». Pour ma part, j'ai compris une chose : si tu n'aimes pas quelque chose, abandonne-le. Laisse-le derrière toi et n'aie surtout pas de regrets.

Mon père, quant à lui, s'est enfui de la maison en montant dans un train de marchandises en marche. Selon ma mère, il venait d'une famille très violente. Son père « avait une bible dans une main et un fouet dans l'autre, car il les utilisait en alternance », disait-elle. Un jour, il a fini par s'embarquer clandestinement à bord d'un wagon de marchandises, croyant quitter l'Alabama pour la Floride, mais il s'est fait prendre et jeter en bas du train. Le même scénario s'est répété à deux ou trois reprises, jusqu'à ce que l'ingénieur du train lui offre un emploi de chauffeur. En ce temps-là, les locomotives à vapeur fonctionnaient au charbon, et parfois même au bois, et il appartenait au chauffeur d'entretenir le feu. Il va sans dire que c'était un emploi dur et salissant. Je n'ai jamais connu mon père de son vivant, mais j'ai vu plusieurs photos de lui arborant la fameuse casquette rayée des cheminots.

Si l'on remonte encore plus loin, je descends d'une lignée de protestants forcés de fuir leur coin d'Europe en raison des persécutions contre les Huguenots au dix-huitième siècle. À l'époque, Louis XV, roi de France et catholique enragé, a même fait adopter une loi légalisant la persécution des protestants. On pouvait les voler et même les battre sur la place publique sans encourir de châtiment. Il va sans dire que cette nouvelle loi n'aidait en rien les catholiques à faire preuve de compassion, et de nombreux protestants ont dû fuir vers l'Angleterre et ailleurs dans l'Ouest.

Mes ancêtres européens ont migré vers l'Angleterre et l'Écosse avant de s'embarquer pour les États-Unis et de gagner le sud du pays. Ils ont réussi en affaires et dans les plantations, mais se sont retrouvés du côté des perdants pendant la Guerre civile. Ayant tout perdu —

leurs terres et leurs entreprises — ils ont fui encore plus au Sud et sont repartis à zéro dans la jungle floridienne de la fin du dix-neuvième siècle.

Parmi nos fugitifs, il s'en est trouvé de plus « modestes ». Deux de mes tantes, par exemple, se sont enfuies de la maison pour se marier afin d'échapper à la colère de ma grand-mère, qui n'approuvait pas leurs prétendants. Dans les deux cas, le mariage a pourtant duré plus de quarante ans, durant lesquels ma grand-mère a pardonné à ses filles sans jamais pour autant adresser la parole à leur mari. (Vous savez maintenant pourquoi les romanciers du Sud ont tellement de succès : il leur suffit de décrire ce qu'ils voient autour d'eux.)

Quand j'ai eu dix-neuf ans, mon grand-père — celui qui avait volé un mulet — m'a glissé dans la main la somme de 500 $ en m'exhortant de « foutre le camp » des terres marécageuses que nous habitions « avant qu'elles ne m'engloutissent » et j'ai suivi son conseil. J'ai acheté une vieille Ford 1958 pour 175 $, je suis monté vers le nord et je ne l'ai jamais regretté.

Se soustraire à l'emprise d'un territoire géographique n'est pas chose facile, mais parvenir à la liberté intérieure est encore plus ardu. En fuyant vers la Nouvelle-Angleterre avant de m'installer en Californie, j'ai certes changé de paysage, mais je ne faisais que renforcer l'habitude innée que j'avais de saboter mes liens affectifs. Au moment où, dans la trentaine, j'ai rencontré Ed, j'avais accumulé tellement de non-dit et laissé passer tellement d'occasions de me racheter, que je ployais sous le fardeau de l'inachevé.

MAINTENANT

Un jour, peu après ma conversation avec Ed, j'ai dressé la liste de tout ce que j'avais laissé en plan dans ma vie et j'ai divisé le tout en catégories :

* Les vérités non-dites : toutes les choses importantes que j'ai omis de dire à des personnes qui ont compté dans ma vie.

* Les ententes non respectées : toutes les promesses que je n'ai pas tenues.

* Les personnes à qui je n'ai jamais dit directement que je les aimais et les appréciais.

* L'argent que je devais.

Je regrette de ne pas avoir conservé ma liste manuscrite, car je suis certain d'avoir oublié quelques-unes des catégories. Il y en avait douze pages. Douze pages de choses laissées en plan, accumulées petit à petit tout au long de ma vie. Assez pour faire fuir n'importe qui ! Mais j'ai rapidement fait une découverte merveilleuse qui m'a donné espoir : chaque fois que je finissais quelque chose, c'était comme si je refaisais le plein d'énergie. Et lorsque l'enjeu est de taille, comme d'avouer un gros mensonge, il y a une telle libération d'énergie qu'on a l'impression de renaître.

On n'insistera jamais assez sur la puissance de ce phénomène. Comment se faisait-il que je n'en aie jamais entendu parler ? Il est impossible que personne dans l'histoire de l'humanité n'ait découvert avant moi l'immense pouvoir qui se tapit dans l'acte d'achever quelque chose. À mon avis, cela est si important qu'on devrait en parler sur toutes les chaînes de télévision et dans toutes les salles de classe. Cela mériterait même un prix Nobel ! Mais j'ai dû attendre la trentaine pour l'apprendre d'un professeur d'ésotérisme rencontré par hasard.

J'ai décidé de commencer par ce qui faisait naître en moi le plus de résistance. Je me disais qu'en commençant par le plus difficile, le reste serait du gâteau. J'ai donc choisi de faire amende honorable à l'endroit d'un certain nombre de femmes —dont ma fille et sa mère, mon ex-femme — pour les mensonges et promesses non tenues.

Linda et moi avons été ensemble un peu plus de quatre ans, mais c'était à une époque de ma vie où j'étais totalement inconscient. J'avais vingt-deux ans lorsque nous nous sommes rencontrés et avons décidé de nous marier. C'était tout juste après le décès de ma grand-mère. Avec le recul, je crois que je me suis alors senti seul et privé de mon unique source d'amour. Je me souviens d'avoir passé des heures assis dans le jardin à me demander ce que j'allais faire de ma vie.

Linda s'est égarée dans l'étang boueux de mon deuil, croulant sous son propre fardeau d'émotions non digérées et nous sommes restés là, embourbés, tout au long de notre brève et douloureuse relation. Amanda, notre fille, a été notre seul rayon de soleil. Nous en étions tous les deux fous. Le fait de nous occuper en priorité de notre fille nous a permis d'avoir un point en commun, mais au bout de quelques années, nous nous sommes séparés : Linda est allée vivre à l'autre bout du pays avec notre fille et il m'est devenu impossible d'avoir avec elle des contacts quotidiens. Ce fut de loin la plus grande épreuve de ma vie.

Plusieurs éléments figurant en haut de ma liste de douze pages concernaient Linda et Amanda. Alors j'ai pris contact avec Linda et lui ai demandé si elle voulait les entendre et lorsqu'elle a répondu oui, j'ai traversé le pays en voiture, car j'avais enfin l'occasion d'avoir un tête-à-tête avec elle — et avec Amanda.

Dix années s'étaient écoulées depuis notre séparation, mais en la revoyant, j'ai eu l'impression que c'était hier. Je lui ai parlé de ma conversation avec Ed et de la liste de choses inachevées que j'avais dressée, et lorsqu'elle m'a assuré qu'elle voulait bel et bien les entendre, j'en ai eu pour une heure à mettre au jour des secrets, des sentiments et bien d'autres choses encore survenues entre nous. Ce fut extrêmement difficile, mais franchement libérateur !

Je lui ai parlé de la colère qui s'était emparée de moi lorsqu'elle avait réduit mes heures de visite à Amanda pour me punir de choses qui n'avaient rien à voir avec notre fille.

Je lui ai avoué une aventure d'un soir, et ma maigre justification pour avoir fait ça (lui remettre la monnaie de sa pièce, car je la soupçonnais d'avoir fait la même chose).

Je lui ai exprimé ma gratitude pour s'être occupée, seule, de notre fille après notre séparation et bien d'autres choses encore, mais ce sont là les plus importantes à mes yeux.

Lorsqu'on me demande — ce qui n'est pas rare — comment reconnaître les choses réellement importantes à confesser, j'évoque mon critère numéro un : si je crois qu'il y a de fortes chances pour que mon interlocuteur ait une réaction émotive à ce que j'ai à lui dire, il est impératif que je le fasse. Si je crois qu'il y a de fortes chances pour que la personne soit fâchée, blessée ou heureuse de l'entendre, l'expérience m'a enseigné qu'il valait mieux en parler.

Dans le cas de ma fille, les choses n'étaient pas aussi simples. Elle était en pleine puberté et je savais qu'elle avait du mal à traverser cette période. Mais vu la nature des confidences que je me préparais à lui faire, je savais également que cela pouvait l'aider à franchir ce cap difficile. Alors, j'ai pris le risque de l'inviter à me rencontrer pour lui ouvrir mon cœur et elle a accepté. Nous nous sommes donné rendez-vous à son restaurant préféré et je lui ai parlé de ce que j'avais sur la conscience.

Je lui ai dit à quel point je me sentais coupable de l'avoir privée toutes ces années de mon soutien quotidien. Je lui ai dit que c'était la seule promesse de taille que je n'avais pas tenue, mais qu'elle m'avait hanté chaque jour pendant près de treize ans.

J'ai ajouté que j'étais triste de m'être fâché contre elle injustement, alors que c'était contre sa mère que j'en avais. En disant cela, j'ai réalisé que j'avais reproduit le même schéma que celui qui existait entre ma mère et moi. Elle avait toujours l'air terriblement fâchée contre moi sans que je puisse me l'expliquer. Maintenant je comprenais : en réalité, c'est à mon père qu'elle en voulait, mais elle n'en était pas consciente. Elle devait lui en vouloir énormément d'être mort jeune et de l'avoir laissée dans le besoin. Et je suppose qu'elle vivait continuellement dans la peur. Déjà que de s'occuper d'un bébé n'est pas facile, être veuve dans la pauvreté au fond de la Floride des années 1940 devait être particulièrement difficile. C'est alors que j'ai été pris d'une grande compassion pour elle et que j'ai eu envie de lui pardonner. Assis dans un coin, Amanda et moi nous sommes mis à pleurer en plein restaurant. Il y avait longtemps que nous ne nous étions pas sentis aussi proches.

Il y a deux personnes qu'il m'a été difficile de retracer, mais la récompense a largement dépassé la peine que je m'étais donnée. En 1969, j'avais emprunté 160 $ à mon patron pour être en mesure de suivre le dernier cours menant à mon diplôme de maîtrise. J'ai terminé mes études, et j'avais bel et bien l'intention de le rembourser jusqu'au jour où une dispute virulente a éclaté entre nous. J'ai donné ma démission, décroché un nouvel emploi dans une autre ville, et refusé de le rembourser arguant qu'il avait tort. Comme j'estimais avoir raison, mon refus de le rembourser était pleinement justifié à mes yeux. Il m'avait fâché, donc nous étions quittes : je ne lui devais plus un sou ! Un peu faible comme raisonnement, n'est-ce pas ?

La justification est un des raisonnements auquel on a parfois recours lorsqu'on décide de ne pas aller au bout de quelque chose. Dans ce cas-ci, il m'a fallu presque quinze ans pour démolir ce faux raisonnement, car ne n'est qu'en dressant ma liste de douze pages que l'incident m'est revenu à l'esprit. C'est en repassant dans ma tête chaque année de ma vie que j'ai fini par déterrer ce squelette.

J'ai donc entrepris de retrouver mon ancien patron et au bout de quelques mois, j'ai appris que des déboires financiers l'avaient forcé à emménager dans une minuscule chambre du YMCA. Je lui ai adressé une longue lettre expliquant ma démarche et la raison qui m'avait poussé à vouloir le retrouver, je lui ai envoyé l'argent que je lui devais, augmenté des intérêts, et je me suis aussitôt senti plus léger et énergisé. Il m'a écrit à son tour qu'il avait été renversé de recevoir cet argent et s'en est montré extrêmement reconnaissant. Nous avons conclu en nous souhaitant mutuellement bonne chance.

Je me mis ensuite à la recherche de J. Wallace Hamilton. C'était avant l'arrivée de l'ordinateur et d'Internet dans nos maisons. Lorsque j'ai tapé « Dr Hamilton » dans mon moteur de recherche récemment, j'ai obtenu des centaines de réponses pertinentes en moins d'une seconde. À l'époque, il y a presque trente ans de cela, il m'aurait fallu faire un tas d'appels téléphoniques, adresser de nombreuses lettres et poser une foule de questions pour finalement trouver l'adresse de sa veuve à St. Petersburg, en Floride.

Ma rencontre avec J. Wallace Hamilton remonte à l'époque où je fréquentais le collège. Il avait prononcé une allocution édifiante lors d'une journée consacrée aux jeunes, à l'église méthodiste que je fréquentais. J'avais la trouille en ce temps-là, car je ne voyais pas comment j'arriverais à me sortir de la vie dans laquelle je me sentais

ne si j'arrivais à m'échapper des marécages
à me libérer des préjugés qui avaient cours
dans le sud des États-Unis dans les années 1960, j'avais
peur que cela ne mène tout droit vers la vie de banlieue
auprès d'une femme dont la seule ambition serait de
réussir un gâteau, et que je quitterais tous les matins pour
un emploi dans une grosse société qui me permettrait de
nourrir mes 2,3 enfants.

C'est alors que j'ai entendu l'allocution de J. Wallace
Hamilton et que j'ai eu l'impression qu'il s'adressait à moi
personnellement. Les messages qu'il a livrés ce jour-là se
sont inscrits au plus profond de mon être. Les voici :

* Ne vous contentez pas de moins que ce à quoi vous
  aspirez réellement.
* Méfiez-vous de ceux qui vous offrent la sécurité contre
  la libre expression de votre créativité. Si vous échangez
  votre liberté contre la sécurité, il vous sera extrêmement difficile de la récupérer.
* Obéissez aux élans de votre cœur et votre chemin sera
  parsemé de faveurs inattendues.

En secret, j'ai fait un pacte avec moi-même et je me
suis promis de suivre ses conseils, ce qui m'a énormément
aidé tout au long du chemin épineux et tortueux que fut
le mien sur le plan professionnel. J'ai réalisé, en dressant
ma liste, que je ne l'avais jamais remercié et je considérais
cela comme un important manquement.

Après un certain nombre de recherches, j'ai retracé sa
femme, qui m'a annoncé que son mari était décédé depuis
quelques années. Je lui ai raconté mon histoire et, comme

c'est souvent le cas lorsqu'on achève quelque chose, la magie a opéré. Elle m'a dit qu'au moment où elle avait reçu ma lettre, elle se sentait déprimée et se demandait si sa vie — et celle de son mari — avaient eu un sens quelconque. La lettre était arrivée à point nommé.

Non seulement j'ai eu l'énorme plaisir de lui dire combien l'allocution de son mari avait compté dans ma vie, mais j'ai eu la surprise de découvrir que le Dr Hamilton avait écrit plusieurs ouvrages, depuis longtemps épuisés, qu'elle m'offrait de m'envoyer par la poste. C'est ainsi que je me suis retrouvé, peu de temps après, en possession de tous les trésors de sagesse publiés par J. Wallace Hamilton, l'homme qui, en vingt minutes seulement, m'avait inspiré pour la vie.

Toutes ces expériences ont fait naître en moi beaucoup de respect concernant la démarche qui consiste à terminer ce qui est resté en plan, en partie à cause du bien-être que cela procure. J'ai commencé à me sentir de plus en plus en paix avec moi-même au fur et à mesure que je réglais les cas les plus lourds, comme le ressentiment qui s'interposait entre moi et un parent ou ami. Mon énergie aussi a commencé à s'accroître chaque fois que je m'occupais, ne serait-ce que d'une toute petite chose, comme de faire un appel maintes fois reporté.

Il est agréable de se sentir bien, mais le fait de terminer une tâche inachevée a des effets beaucoup plus vastes encore, des effets qui transcendent le personnel. J'ai réalisé avec l'expérience que le seul fait de terminer quelque chose, peu importe son envergure, a le pouvoir de nous mettre en harmonie avec l'univers. Si je vous dis que je vais vous appeler le lendemain, je viens de créer une nouvelle force dans l'univers, une entente qui détermine comment les choses se passeront. Si je respecte ma promesse, je m'aligne avec les forces en présence dans l'univers, sinon, c'est comme si je laissais un circuit ouvert, une histoire dont on ne connaîtra jamais la fin. En ne vous appelant pas, j'envoie un message qui affectera ma vie et notre relation : je n'ai pas de parole et vous ne valez pas la peine que je fasse l'effort de tenir mes promesses. Personnellement, chaque fois que je néglige de faire quelque chose, je ressens une baisse d'énergie et ma relation avec la personne concernée en souffre. Le fait d'aller jusqu'au bout me redonne de l'énergie et désembrouille les ondes entre moi et les gens qui m'entourent.

Mais il y a plus : chaque fois que nous complétons quelque chose, nous célébrons notre lien avec l'univers, et nous rendons celui-ci plus accueillant du seul fait de notre attitude envers lui. Lorsque je me suis mis à achever des choses, j'ai eu une agréable surprise : il m'était de plus en plus facile de cheminer sur la voie que je m'étais tracée. Il y a également eu davantage de hasards heureux, petits et grands, dans ma vie de tous les jours. Lorsque j'ai enfin remboursé un ancien prêt oublié, contracté à un ami, les places de stationnement ont commencé à se libérer et Oprah nous a invités à son émission, ma femme et moi, après la lecture d'un de nos livres. C'est le genre de choses qui s'est mis à arriver de plus en plus souvent au fur et à mesure que je m'améliorais dans l'art d'aller jusqu'au bout. Même si je suis maintenant habitué à ce que mon quotidien soit rempli d'imprévus heureux, pas une journée ne s'écoule sans que j'exprime ma reconnaissance pour tous ces bienfaits, et j'essaie de ne jamais les tenir pour acquis. Je me plais à imaginer que c'est l'univers qui me fait des clins d'œil, et je réponds moi aussi par un clin d'œil — et un merci.

CHAPITRE TROIS

MON TROISIÈME VŒU

Écrire avec le cœur

✻

J'aurais aimé produire une transcription exhaustive
de tout ce que j'ai appris d'important
lors de mon séjour sur terre.

✻

En apparence, mon troisième vœu peut sembler anodin par rapport aux deux premiers, mais une question de grande importance, se résumant à ceci, le motivait : Est-ce que je vais être authentique et honnête suffisamment pour offrir aux gens ce qui me passionne le plus ? Ou vais-je passer ma carrière à me cacher, bien à l'abri, derrière le paravent de l'objectivité universitaire ?

MES DÉBUTS

À titre de professeur de psychologie à l'université du Colorado, j'enseignais aux étudiants de deuxième cycle l'art et la science de la psychothérapie. Parallèlement à ces fonctions, je devais également faire de la recherche dans mon domaine de spécialité. Or, ma conception de la psychothérapie prenait peu à peu une tangente spirituelle, et je me trouvais confronté à un dilemme entre cette approche et la vision plus scientifique de l'institution. J'explorais dans ses moindres détails le monde intérieur des émotions et de la spiritualité durant le processus de guérison, et je ne voyais pas comment les outils de recherche standards pouvaient s'appliquer à mes travaux. Je faisais des découvertes fascinantes qui, par la suite, ont alimenté tout un courant de pensée qui devait révolutionner la psychologie. Mais à l'époque, il n'y avait pas encore de précédents pour ce genre de recherche, je craignais donc de ne jamais obtenir ma permanence, et d'être expulsé en Sibérie si je publiais mes résultats de recherche. Cela dit, j'appréciais les avantages et le prestige rattachés à mes fonctions. En outre, ni mes parents ni mes grands-parents n'ayant fréquenté l'université, ma famille voyait mon poste comme un fleuron de plus à sa couronne. Je n'avais donc pas envie d'être expulsé du cercle des universitaires alors que je venais à peine d'y être admis.

Et pourtant, en formulant mon troisième vœu, je scellais mon destin. J'ai décidé de faire fi de mes craintes et de me jeter corps et âme dans l'accomplissement de ce qui me tenait réellement à cœur. Un éditeur m'a demandé d'écrire un livre d'un genre différent sur l'estime de soi, un ouvrage introspectif rédigé à la lumière de mes propres observations, et c'est dans ce contexte que j'ai publié *Learning to Love Yourself* [Apprendre à s'aimer]. Dès que je me suis mis à l'écrire, ma vie n'a plus jamais été la même.

De tous les livres que j'avais signés, c'était le premier pour lequel je me passionnais réellement et je m'y suis consacré sans aucune retenue. Plutôt que d'écrire avec la distance de l'analyse objective, conformément à ma formation de docteur en psychologie de l'université Stanford, je me suis jeté dans la tempête de ma propre confusion, de mon anxiété et de mes joies. J'ai brossé un portrait aussi intime que possible des extases et de l'agonie qui étaient miennes, avec pour seul critère l'authenticité. Après chaque phrase, je m'arrêtais pour me demander : *Ce que je viens d'écrire est-il absolument et indiscutablement vrai ?* et je ne poursuivais que si la réponse était un *oui* franc. Une fois mon livre terminé, j'ai eu pour la première fois de ma carrière l'impression d'avoir été à la hauteur de mon potentiel de créativité.

Ce livre a certainement bouleversé ma vie et j'ai été projeté, non sans surprise, dans des sentiers que je n'aurais jamais pensé fréquenter un jour. Lorsque le livre s'est retrouvé entre les mains du public dans les années quatre-vingt, le magazine à grand tirage *Psychology Today* en a publié une critique hargneuse qui, par un délicieux effet pervers, a contribué à son succès.

À l'époque, les ouvrages de croissance personnelle se faisaient plutôt rares et, à ma connaissance, j'étais le premier à me livrer avec autant d'impudeur. Or, c'est justement le caractère éminemment personnel de mes observations que R.D. Rosen, critique au *Psychology Today*, me reprochait.

Un dimanche après-midi, un ami m'a téléphoné pour me demander si j'avais lu la dernière livraison du magazine.

— Non, ai-je répondu, pourquoi ?

— Mieux vaut pas, alors.

Il a poursuivi en disant que la critique de mon livre n'était pas exactement flatteuse et que j'aurais probablement intérêt à ne pas prendre connaissance des détails accablants.

Il n'en fallait pas plus pour piquer ma curiosité. Bien que lecteur très occasionnel du magasine, je me suis précipité chez le marchand de journaux le plus proche pour me procurer le dernier numéro. J'étais tellement curieux que je n'ai même pas attendu de l'avoir payé pour dévorer le fruit défendu. Debout devant le présentoir, j'ai tourné fébrilement les pages jusqu'à celle où l'on parlait de mon livre, et c'est là que j'ai appris toute la douleur que j'avais infligée à R.D. Rosen.

Non seulement Rosen avait-il détesté le livre (et le genre émergent de la croissance personnelle en général), mais il laissait entendre que j'avais perdu la raison et sacrifié ma carrière universitaire pour le seul plaisir d'étaler sur la place publique la colère, l'anxiété et les aspirations qui me taraudaient. Il est même allé jusqu'à faire état, lui aussi, de ses émotions en avouant que certaines parties de mon livre étaient tellement personnelles qu'il en avait eu la nausée. (Lorsque j'ai appris qu'il était également critique gastronomique à temps partiel, j'ai compris qu'il ne pouvait y avoir pire comparaison.) Je me sentais moi-même un peu malade après avoir lu son article. Je suis sorti furtivement et suis vite rentré chez moi. C'était comme si un chauffard venait de frapper ma carrière de plein fouet.

Mais qu'est-ce que j'avais bien pu faire de mal ? Professeur d'université, j'avais publié de nombreux articles dans des revues scientifiques et signé un traité de psychologie clinique, et voici que R.D. Rosen donnait mon livre en exemple du déclin du monde universitaire — et de l'Occident en général. Nous n'étions décidément pas sur la même longueur d'ondes ! Même si j'en avais un peu contre l'université, j'aimais ce milieu et le rigoureux esprit de recherche qui y régnait. J'estimais simplement que mon domaine s'accommodait plutôt mal des recherches objectives à caractère mathématique qui étaient son lot. J'adorais enseigner la psychologie clinique aux étudiants de deuxième cycle et il me semblait apporter au milieu universitaire une note d'authenticité émotionnelle qui lui faisait atrocement défaut. Malheureusement, je savais que la critique de mon livre dans *Psychology Today* attirerait un public beaucoup plus large que celui, combiné, de mon traité et de mes articles à caractère scientifique. Étais-je en passe de devenir la risée générale ?

Nous arrivons maintenant au « délicieux effet pervers » : après la critique parue dans *Psychology Today*, les ventes de mon livre ont grimpé en flèche, doublant le deuxième mois, triplant le troisième. Je découvrais la vérité qui se cachait derrière le vieil adage qui dit que toute publicité est bonne. Le public semblait goûter précisément ce qui avait donné le haut-le-cœur au critique. J'ai ensuite commencé à recevoir des lettres émouvantes de personnes qui me remerciaient de m'être livré avec autant de liberté, et qui affirmaient que mon livre avait eu sur eux un effet thérapeutique en leur donnant la permission de se livrer, eux aussi. J'ai également reçu des lettres de professeurs disant que j'avais restitué leur confiance dans le milieu universitaire et leur avais fourni une raison de poursuivre l'enseignement. Ce livre est resté un gros vendeur, avec une vingtaine de tirages en vingt ans.

Le meilleur restait encore à venir cependant. Lorsque mon livre s'est hissé au palmarès des best-sellers, j'ai été inondé de demandes pour donner des conférences et des séminaires, et j'ai commencé à y consacrer mes week-ends après avoir enseigné toute la semaine à l'université. Quelques années plus tard, en plein hiver, je suis allé donner un séminaire à Hawaï. Dès ma descente d'avion, la délicieuse chaleur de Kauai m'a enveloppé doucement. En arrivant chez mes hôtes cependant, on m'a remis un message de la part de ma secrétaire au Colorado, sur lequel on pouvait lire « Urgent ! Oprah Winfrey a appelé. »

Longtemps, je n'ai pas eu de téléviseur à la maison. Je n'étais donc pas très au fait des émissions populaires de l'heure. Lorsque j'ai appelé ma secrétaire — fidèle lectrice de la revue *People* — pour savoir qui était Oprah Winfrey, elle m'a appris que c'était une animatrice de *talk-show* de Chicago qui gagnait rapidement en popularité dans tout le pays. Oprah faisait une émission sur le thème de l'amour de soi et j'étais invité à y participer. Il me suffisait de sauter dans le premier avion pour Chicago.

Or, nous étions en plein hiver, et je venais tout juste d'échapper aux steppes gelées du Colorado pour une semaine de soleil à Kauai. L'idée de me taper un vol de

10 heures pour revenir dans le Midwest ne m'a effleuré que quelques secondes et j'ai vite répondu à ma secrétaire que je déclinais l'invitation. Ce jour-là, je suis allé rendre visite à l'auteure Shakti Gawain dans sa maison de Kauai et elle m'a raconté que son propre passage à l'émission *Oprah* lui avait valu de vendre plusieurs centaines de milliers de livres. Soudainement, Chicago avec son rude hiver m'a semblé beaucoup plus attrayante, mais j'ai résisté à la tentation de faire volte-face et je suis resté à Kauai. Mon refus ne semble pas avoir offusqué les producteurs, car ils ont été assez gentils pour réitérer leur invitation. Kathlyn et moi avons participé plusieurs fois à son émission, ainsi qu'à de nombreuses autres, ce qui a eu pour effet de faire connaître nos livres, mais surtout de permettre la création de notre propre institut, projet gratifiant s'il en est.

RÉSULTAT

Cette visibilité accrue nous a valu des centaines d'invitations de thérapeutes, médecins et autres professionnels désireux d'étudier auprès de nous, et nous avons tout de suite commencé à donner des séminaires de formation en Amérique, en Asie et en Europe. Au fil des ans, l'Institut Hendricks a pris son essor et aujourd'hui, vingt ans plus tard, des centaines de professionnels sont formés chaque année. Nous offrons également des séminaires pour les personnes engagées dans une démarche de croissance personnelle, et à ce jour, environ vingt mille d'entre elles y ont participé.

Tout ceci, je le dois à ma décision de sortir de derrière le « respectable paravent » du milieu universitaire pour m'élancer sur les pistes non balisées de l'authenticité dans l'expression de soi. Cette aventure m'a fait voyager dans le temps. J'ai revu mes œuvres précédentes à la lumière de cette nouvelle approche, et je n'ai jamais cessé depuis de me servir de cet outil de navigation.

J'ai commencé par réévaluer à l'aulne de mes nouvelles exigences toutes les notes que j'avais prises depuis mon entrée dans la profession en 1968. Je me suis posé des questions comme : *Cet outil m'a-t-il permis d'apporter des changements dans ma propre vie ou a-t-il amorcé chez quelqu'un d'autre un changement dont j'ai été personnellement témoin ?* ou *Est-ce seulement quelque chose que j'estime être vrai ou efficace parce que je l'ai lu quelque part ou que j'en ai indirectement entendu parler ?* Avec le temps, j'ai simplifié ces questions sous la forme suivante : *Est-ce vrai ? Est-ce que ça fonctionne ? En ai-je moi-même fait usage pour améliorer ma propre vie ?* Depuis, je me pose toujours ces questions avant de décider si je vais parler de quelque chose dans un de mes livres.

En outre, ces questions ont fait naître en moi de nombreuses intuitions, dont une qui a donné naissance à nos travaux sur le couple. Tout a commencé lorsque Kathlyn et moi avons remarqué, au début de notre relation, certains comportements nocifs à répétition. Tout allait bien pendant quelques jours jusqu'à ce qu'un déclencheur vienne mettre du sable dans l'engrenage, créant ainsi une distance entre nous. Nous avions une altercation, l'un de nous deux tombait malade ou nous nous disputions au sujet des enfants ou des beaux-parents, et il nous fallait des jours, voire des semaines, avant de ressentir de nouveau le lien étroit qui nous unissait. Un jour, j'ai compris quelque chose qui nous a aidés à briser ce cercle vicieux.

Par une belle matinée sans nuages, je faisais des étirements à l'étage, dans notre maison du Colorado. J'étais tout imprégné de cette lumineuse aisance qui vient avec la pratique du yoga ou de toute autre discipline permettant de se recentrer. Vous êtes sûrement nombreux à savoir ce dont je parle. Soudain, je suis passé de cette délicieuse sensation à un sentiment d'inquiétude à l'idée qu'Amanda, notre fille, allait connaître sa première journée d'internat dans une école privée. J'ai immédiatement cessé de me sentir bien physiquement dès que je me suis mis à imaginer Amanda souffrir de solitude, s'ennuyer de nous, être victime de mauvaises plaisanteries de la part de ses camarades et autres suppositions du genre. Or, aucune prémisse ne me permettait de présumer de telles choses. En d'autres termes, Amanda ne m'avait jamais parlé d'expériences négatives de la sorte ni d'aucune autre sorte.

Alors que je me dirigeais vers la chambre pour lui téléphoner afin de me rassurer, je me suis arrêté net : et si c'était la sensation agréable elle-même qui avait donné lieu à ce méli-mélo d'inquiétudes qui s'est emparé de mon esprit ? Étais-je limité dans ma capacité à me sentir bien ? Y avait-il un plafond au-delà duquel je me sentais obligé de tout gâcher ? Est-ce que je disposais de tout un arsenal de stratégies composées d'arguments, de sujets d'inquiétude et d'ennuis de santé dont mon inconscient se servait pour me ramener à un niveau « acceptable » de bien-être lorsque je dépassais les bornes ?

Cette intuition a débouché sur un tas de nouvelles questions. Se pourrait-il que les disputes, les dérangements et autres accrocs dans notre relation de couple n'aient rien à voir avec ce qui semble les avoir provoqués ? Qu'ils ne soient que des moyens dont nous nous servons pour bloquer les bonnes vibrations entre nous ? Mais quel avantage pourrions-nous avoir à saboter notre propre bien-être ? Tout simplement parce que nous croyons ne pas mériter d'être aimé. Et aussi, ce qui est à mon avis encore plus déterminant, nous n'avons pas développé la capacité d'être heureux sur une longue période de temps. Prenons l'histoire de l'humanité et nos histoires personnelles. Elles nous ont appris beaucoup sur le genre de malheurs qui peuvent frapper l'humain et sur sa capacité à y faire face, mais très peu sur la façon de nous sentir bien et de faire durer le plaisir.

Ça alors ! Il y avait de l'électricité dans l'air. Mais avant de me précipiter pour en parler à Kathlyn, j'ai téléphoné à Amanda pour savoir ce qu'il en était réellement. La responsable du dortoir (qui n'en était pas, semble-t-il, à son premier parent inutilement inquiet) a jeté un coup d'œil à la fenêtre et m'a informé qu'Amanda jouait au soccer avec grand enthousiasme. Je l'ai remerciée et suis descendu faire part à Kathlyn de ma toute dernière révélation. Cela l'a tout de suite intéressée et nous avons convenu d'observer de plus près nos schémas de comportements dans les semaines et les mois à venir. Nous savions ce que nous cherchions, et il nous a fallu très peu de temps pour voir à l'œuvre le schéma dont nous avions pressenti l'influence. La plupart de nos conflits semblaient se produire un vendredi ou un dimanche. En y regardant de plus près, nous avons découvert que nos conflits du vendredi étaient causés par le soulagement de voir la semaine de travail s'achever. Nous avions, apparemment, un seuil de tolérance très bas pour ce sentiment, car il nous suffisait d'environ une heure de détente pour nous engager dans une discussion qui tournait mal. Quant aux disputes du dimanche, elles semblaient se produire en fin d'après-midi ou en soirée, après un laps de temps pendant lequel Kathlyn et moi nous étions sentis proches.

Avec de la pratique, nous avons développé la capacité de reconnaître l'émergence du schéma, ce qui nous a permis d'accroître la durée du sentiment de proximité entre nous. Il nous a fallu être très vigilants et cela ne s'est pas fait du jour au lendemain. Je ne saurais dire le nombre de fois où nous avons failli tomber dans le piège, et où nous nous sommes dit *Serions-nous en train de bousiller notre intimité en provoquant une dispute ?* Peu à peu, nous sommes parvenus à faire durer notre sentiment de proximité pendant des semaines et même des mois, sans le saboter. Nous avons appris à rester en harmonie même dans les moments difficiles, comme lorsque l'un de nous deux a démoli la voiture de l'autre, lorsqu'il y avait un drame familial et, ultime épreuve, lorsque nous avons rénové notre maison victorienne. Au moment où j'écris ces lignes, il y a bien dix ans que nous ne nous sommes pas adressé de propos hostiles ni de critiques.

Tous nos livres sur les relations de couple — de *L'amour lucide* jusqu'au dernier des cinq autres ouvrages publiés ces quelque vingt dernières années — ont été écrits à partir de notre vécu. Nous avons fait de nombreux essais dans notre laboratoire matrimonial privé avant de proposer des outils à nos clients. Et tous nos propos, avant d'être mis en page, ont été soumis aux mêmes questions clés, à quelques variations près : *Est-ce vrai ? Est-ce que ça fonctionne ? Avons-nous personnellement utilisé ces outils pour amplifier le sentiment d'amour et d'intimité dans notre couple et cela a-t-il fonctionné ?*

Ces questions, je me les pose dans tous les aspects de ma vie, et c'est en cela que je considère avoir réalisé mon troisième vœu — produire une transcription exhaustive de tout ce que j'ai appris d'important lors de mon séjour sur terre, et faire en sorte que cela vienne du cœur. Je continue d'ailleurs à le faire chaque jour et, sur ce plan, mes attentes ont été largement dépassées.

CHAPITRE QUATRE

MON QUATRIÈME VŒU

Ressentir le Divin

« Ça veut dire quoi, le Bon Dieu ? »

Si l'on en croit les archives de la famille, ces mots sont sortis de ma propre bouche vers l'âge de quatre ans. En l'occurrence, j'aurai passé la plus grande partie de ma vie à essayer de comprendre Dieu. Peu importe depuis combien de temps je m'intéresse à cette question, elle me brûlait encore les lèvres lorsque Ed m'a demandé de m'imaginer sur mon lit de mort et de déterminer ce qui me tenait le plus à cœur. Lorsqu'il m'a invité à me pencher sur mon passé pour en identifier les lacunes, j'ai répondu ceci :

✧

J'aimerais avoir de Dieu et du divin une compréhension autre qu'intellectuelle, et pouvoir la ressentir profondément dans mon être.

✧

Ed m'a ensuite aidé à le reformuler au présent, sous forme d'objectif :

✧

Je sens à chaque instant la présence de Dieu partout où je vais. Je sais ce qu'est le divin, et comment l'univers a été créé.

✧

CE QUE J'ÉTAIS

Depuis mon plus jeune âge, j'ai cherché à sentir la présence de Dieu. Enfant, lorsque j'allais à l'église, j'étais très offusqué de la maigre part faite aux émotions. Tout le monde avait l'air de s'ennuyer et d'être là uniquement par devoir, tandis que le ministre du culte épiloguait à n'en plus finir. À l'autre extrême, il y avait les *Holy Rollers*. Dans le Sud où j'ai grandi, il existait des dizaines de confessions mineures et chacune avait sa façon d'exercer son culte. Tous les dimanches, à deux rues de chez moi, une minuscule église *Holy Rollers* s'animait et lorsqu'il faisait chaud, les portes restaient ouvertes. Il arrivait que leurs cris exubérants et autres manifestations de joie fassent un tel tapage que nous étions obligés de fermer portes et fenêtres malgré la chaleur accablante. Un jour que je me suis approché sans bruit de l'église pendant le service, j'ai vu les fidèles qui criaient en sautant sur place au son de l'orgue et de la batterie, pendant que le célébrant, les yeux révulsés, battait l'air de ses poings levés au ciel. J'ai cru qu'ils étaient tous fous.

Je me souviens d'avoir pensé : *si je dois choisir entre l'ennui et la folie, je crois que j'opterais pour l'ennui.* Au fond de moi, cependant, je savais que je ne serais jamais satisfait avant d'avoir goûté à quelque chose de vrai. J'étais loin de me douter à l'époque qu'il me faudrait chercher pendant au moins vingt ans avant de trouver.

CE QUE JE SUIS DEVENU

Après ma conversation avec Ed, j'ai enfin commencé à vivre des expériences à la hauteur de mes aspirations d'enfant. Elles se sont manifestées de plus en plus souvent, si bien qu'aujourd'hui elles font partie intrinsèque de ma vie. J'ai commencé à méditer chaque jour et je suis convaincu que cette pratique a créé en moi l'espace nécessaire pour que je puisse ressentir profondément et directement le divin. J'ai d'abord commencé à méditer selon la méthode zen, c'est-à-dire en comptant mes respirations. J'atteignais un certain degré d'imperturbabilité, mais je trouvais cela plutôt aride. Le professeur recommandait au moins deux séances d'une heure par jour, ce que j'avais du mal à intégrer dans mon style de vie trépidant. C'est en 1973, année où j'ai découvert la méditation transcendantale — une excellente technique —, que j'ai commencé à ressentir régulièrement la présence de Dieu. Je trouvais plus apaisant d'utiliser des mantras que de compter les respirations. En outre, il m'était beaucoup plus facile de ménager dans ma journée deux périodes de vingt minutes plutôt que deux d'une heure, tel que prescrit par le bouddhisme zen.

J'ai poursuivi mon approfondissement de la méditation transcendantale et de ses techniques et je dois dire qu'elles étaient toutes excellentes. Tel que promis, j'ai commencé à ressentir davantage de paix et d'harmonie à l'intérieur de moi, tandis qu'à l'extérieur, ma productivité s'est accrue. La méditation m'est devenue tout aussi essentielle que de me brosser les dents ou de prendre une douche et même plus je dirais, car s'il m'est arrivé de passer une journée sans me doucher, je n'ai pas raté une seule journée de méditation depuis 1973.

Je crois que la méditation m'a peu à peu rendu plus ouvert et capable d'accueillir les expériences déterminantes qui m'ont permis de réaliser mon quatrième vœu. En voici un exemple :

Je traversais un campus universitaire par une belle matinée ensoleillée de printemps au Colorado. C'était pendant la relâche scolaire, et seul le crissement sous mes pas de la petite neige tombée la veille venait briser le silence. Je sortais d'une librairie où je m'étais attardé à parcourir un recueil sur les paroles de Jésus et je songeais, en route vers la maison, à l'extraordinaire paradoxe qui existait à l'intérieur du christianisme et d'autres religions. Jésus avait parlé d'amour et de fraternité, mais ses fidèles avaient assassiné des millions de gens lors de croisades et autres querelles sectaires. Son message parlait de libération, mais il avait donné naissance à une Église organisée abominablement répressive, surtout envers les femmes.

Entre les mains de ses adeptes, la compassion et la tolérance avaient été déformées au point de sanctionner des gestes comme de cracher sur des femmes à la sortie d'une clinique d'avortement. Comment expliquer cet écart ?

C'est en réfléchissant à cette question que j'ai commencé à percer le sens des paroles et des notions se rapportant à Jésus et au christianisme. Les mots ont le pouvoir de faire naître les conflits. On peut discuter pendant des siècles sur la signification de telle ou telle notion, mais derrière tous ces mots et toutes ces tergiversations, il devait bien exister quelque chose d'essentiel, de pur et de vrai. Je me suis mis à me demander à quoi pouvait bien ressembler l'*expérience* qui sous-tend tout cela. Peut-être est-elle si puissante qu'on ne peut l'appréhender qu'à petites doses avant de se retirer dans l'univers des mots, des notions et des conflits. Peut-être risque-t-on de devenir fou si l'on essaie de vivre la véritable expérience dans toute son intensité. À l'autre extrême, il y a des gens qui, par crainte d'en ressentir toute la puissance, se replient dans l'ennui.

Je me suis demandé soudainement si Jésus ne s'était pas connecté à une source de pouvoir primale, un degré de conscience auquel nous pouvons tous accéder. Il a certainement fait plus d'une fois allusion à quelque chose de la sorte dans des phrases comme « Le Royaume des cieux est en vous ». La conscience christique est peut-être semblable à un canal de télévision que n'importe qui peut syntoniser. C'est alors que j'ai décidé de la syntoniser moi-même. Je me suis immobilisé, en plein milieu du campus, j'ai fait le vide dans ma tête, et je me suis dit à peu près ceci : *D'accord, je suis à votre disposition. Faites m'en la démonstration.*

Aussitôt, une incroyable énergie s'est emparée de tout mon être et une décharge électrique m'a traversé, me laissant dans l'euphorie la plus totale. Une délicieuse sensation de chaleur et de lumière me parcourait en entier de haut en bas, de bas en haut et tout autour, pour finir par s'immobiliser dans la région du cœur. C'est alors que j'ai ressenti une compassion sans bornes pour l'humanité tout entière. C'était comme si mon cœur explosait dans un débordement d'amour et de gratitude à l'endroit de tous les humains. J'ai vu la terre et les cieux ne faire qu'Un. Il n'existait plus de séparation entre les êtres, la nature et moi-même. Nous étions tous égaux et ne formions qu'un seul Être. Nous étions unis dans une grande danse d'amour et de célébration. Je me rappelle avoir virevolté pour regarder le ciel, les arbres et les gens au loin. Nous étions tous Un, baignant dans un même champ d'énergie quantique d'amour et de compassion. Nous avions tous la même part de divin en nous.

Après quelques minutes, l'intensité a commencé à diminuer et j'ai repris le chemin de la maison d'un pas léger, un large sourire accroché à mes lèvres. Dans les jours qui ont suivi, j'ai remarqué que les conflits que j'entretenais avec certaines personnes se résolvaient facilement, et je crois que d'avoir senti que nous ne formions qu'Un n'y était pas étranger. Lorsque j'ai eu compris que nous étions tous l'expression d'une force de création universelle, j'ai commencé à avoir du mal à m'opposer aux points de vue de ceux qui m'entourent.

Quelques mois plus tard, en août, j'ai eu une expérience encore plus profonde de proximité avec le Divin alors que j'étais allongé après avoir médité. (J'avais l'habitude, chaque soir après ma méditation, de m'allonger pendant dix à quinze minutes. Il est particulièrement agréable de laisser le corps se reposer tandis que le mental est apaisé.)

Pendant que je relaxais en silence, je me suis mis à spéculer sur la véritable nature de Dieu. Il m'est apparu clairement que rien de ce qu'on nous enseigne au sujet de Dieu n'a de réelle valeur, car cela est entièrement fondé sur l'expérience de quelqu'un d'autre, si l'on peut parler véritablement d'expérience. J'ai compris que ce qu'on nous apprend sur Dieu nous empêche souvent de chercher à le sentir à l'intérieur de nous, surtout que la religion nous est généralement enseignée par des institutions religieuses non dépourvues d'arrière-pensées.

La plupart du temps, Dieu nous est présenté comme étant une force extérieure à nous, une force créatrice dans l'univers, alors que nous aurions été créés par Dieu. Par contre, de nombreux mystiques — y compris Jésus — ont affirmé que nous formons Un avec Dieu. Comment pouvons-nous être à la fois le créateur et ses créatures ? Tout cela se mêlait dans mon esprit lorsque, soudain, j'ai vu la lumière au bout du tunnel. Et s'il était possible d'extraire de toute cette désinformation tarabiscotée au sujet de Dieu quelque chose qui ressemble à une véritable expérience ? Après tout, si j'étais capable de ressentir en moi la part de divin, je devrais pouvoir remonter à la source de la chaîne de la création.

J'ai donc commencé par quelque chose d'irréfutable : ressentir la part d'humain en moi. J'ai pris conscience des sensations dans mon corps, de ma colère, de mes peurs et de ma joie. J'ai reconnu l'existence de mon esprit avec tout son bagage de doutes, de souvenirs et d'idées. J'ai passé plusieurs minutes à faire miens et à accepter tous mes attributs humains, puis je me suis ouvert à quelque chose de plus, à la possibilité que je sois également le créateur de tout cela.

Soudainement, une explosion de lumière et de vibrations s'est produite au plus profond de moi et je me suis mis à trembler de tout mon être, de plus en plus rapidement au point où je me suis malgré moi retourné dans mon lit. Étrangement, je n'avais pas peur. Un puissant courant me parcourait tout entier, comme une rivière d'énergie pure. Je suis resté là longtemps à ressentir cette vague d'énergie, en prenant soin de respirer pour ne pas opposer de résistance. Lorsque je m'abandonnais en accompagnant la sensation avec ma respiration, la pulsation s'amplifiait. Au bout d'environ une demi-heure, les vibrations ont diminué et je suis resté allongé avec, dans tout le corps, une délicieuse sensation d'espace et d'aisance. Une pensée s'est infiltrée dans mon cerveau : « Alors c'est ça, Dieu. Ce n'est pas une notion abstraite, c'est quelque chose que l'on sent dans son corps. »

Pas étonnant que je ne sois jamais arrivé à le comprendre avec mon esprit. Dieu est une expérience, pas un concept. Dieu est *impensable* dans le bon sens du mot. Fort de cette découverte, j'ai commencé à m'exercer à *sentir* Dieu au lieu de penser à lui. Peu à peu, au fil des trente années qui ont suivi, Dieu est passé d'une expérience fugace à une présence quasi permanente qu'il m'est donné de sentir chaque jour, comme en arrière-plan, dans mon quotidien.

Cette ouverture de la conscience m'a conduit vers de plus grandes découvertes encore. J'ai commencé à ressentir une aisance partout où se portait mon attention dans mon corps, comme s'il se créait de l'espace à l'intérieur de moi. Si j'étais tendu dans la région des épaules, par exemple, je n'avais qu'à me concentrer sur cet endroit pendant quelques secondes pour que la tension disparaisse et qu'elle soit remplacée par une délicieuse sensation d'aisance et d'espace en arrière-plan. Je croyais au début que cette sensation était causée par la disparition de la tension, mais en aiguisant ma sensibilité, j'ai découvert qu'il en était autrement. En fait, l'aisance et la sensation d'espace étaient toujours là, même lorsque je ressentais de la tension (ou de la douleur ou de la faim). Je ne les avais tout simplement pas remarquées tant j'étais occupé à ressentir la tension (ou la faim) à l'avant-plan. Alors, je me suis mis à chercher cette délicieuse sensation d'aisance et d'espace et je l'ai découverte dans chaque parcelle de mon corps.

Avec le temps, j'y ai trouvé des dimensions cachées. En lui accordant davantage d'attention, j'ai remarqué que cette sensation me permettait de me sentir en lien avec les autres. En d'autres termes, plus je la ressentais à l'intérieur de moi, plus je la percevais chez les autres. J'aimais bien le sentiment d'unité que cela me procurait dans mes rapports avec les autres. Au début, je me suis demandé si c'était le produit de mon imagination ou si d'autres personnes en étaient conscientes. Pour répondre à cette question, j'ai fait quelques expériences toutes simples pendant mes séminaires ainsi qu'avec des clients venus me consulter. Lorsqu'un client se plaignait de fatigue ou d'un mal de tête, par exemple, je lui demandais de se concentrer sur cette sensation désagréable et de rester ainsi jusqu'à ce qu'il note un changement. Je lui demandais s'il y avait un autre type de sensation à l'intérieur, en arrière ou autour de la fatigue ou du mal de tête. Tôt ou tard — au bout de quelques secondes, parfois quelques minutes —, mon client entrait en contact avec une sensation d'aisance, d'espace et d'harmonie au-dedans de lui. Et lorsqu'il faisait cette découverte pour la première fois, je voyais presque invariablement ses yeux s'écarquiller sous l'effet de la surprise.

Au début, j'ai nommé cette sensation « conscience pure », jusqu'au jour où une étudiante dans un de mes séminaires en a parlé en termes de « divin organique », expliquant que cela lui avait fait penser à ce qu'elle ressentait à l'église lorsqu'elle était enfant. Elle a poursuivi en disant que cette sensation s'était peu à peu estompée au fur et à mesure qu'elle s'était égarée dans les méandres de la théologie et du dogmatisme religieux. Elle était ravie de constater que la sensation était encore présente en elle, indépendamment des enseignements de l'Église. Une discussion animée s'est alors enclenchée et d'autres étudiants y sont allés du même son de cloche, évoquant des expériences similaires. Ils ont conclu en disant que ce que j'avais appréhendé comme étant de la « pure conscience » était l'essence spirituelle naturelle dont chacun est habité à la naissance.

Je n'ai rien contre, mais je vous laisse le soin de déterminer vous-même si ce que vous ressentez s'apparente à de la « conscience pure » ou au « divin organique ». En bout de ligne, le nom que nous lui donnons importe probablement peu. Ce que je trouve important, c'est de me sentir en lien avec moi-même et avec les autres, sans oublier l'univers qui m'entoure. Ce qui compte le plus à mes yeux maintenant, ce sont ces moments du quotidien qui sont transfigurés par le sentiment que nous sommes tous unis par la conscience. Plus j'arrivais à ressentir cette unité, plus je savais que je me rapprochais de mon cinquième vœu.

CHAPITRE CINQ

MON CINQUIÈME VŒU

Savourer la vie

Au moment où j'ai formulé mon cinquième vœu, je me sentais triste en pensant à toutes les fois où j'avais expédié ce que j'avais à faire sans prendre le temps de savourer le moment présent. Avant de rencontrer Ed, peu importe où j'étais, j'avais toujours l'impression que j'aurais dû être ailleurs. C'est la montre à mon poignet qui régentait ma vie et elle me disait invariablement que j'avais quelques minutes de retard sur mon programme de la journée. C'est pourquoi j'ai dit à Ed :

✧

Je n'ai pas réussi ma vie sur toute la ligne
parce que je n'ai pas su prendre mon temps.
Je ne me suis jamais arrêté pour
goûter chaque instant précieux.

✧

Lorsque Ed m'a invité à en faire un objectif, je l'ai formulé ainsi :

✦

Ma vie est une réussite sur toute la ligne parce que j'apprécie chaque instant qu'il m'est donné de vivre.

✦

TOUJOURS AILLEURS

Au moment où j'ai formulé ce vœu, je venais de vivre un des pires épisodes illustrant ma difficulté à goûter l'instant présent. Ma fille avait passé des heures à fabriquer un costume d'Halloween des plus élaborés. Il s'agissait d'une parfaite réplique en carton d'une poubelle à ordures en tôle ondulée. Elle l'avait peinte en vert à la bombe aérosol pour qu'elle ressemble à toutes les autres poubelles du quartier. Au jour dit, elle s'était glissée à l'intérieur avec, sur la tête, le couvercle en guise de chapeau. Un sac-poubelle servait de doublure et un autre avait été transformé en bretelles permettant de suspendre le tout aux épaules. La poubelle, qui portait une inscription au pochoir disant « Poubelle à bonbons », allait servir de réceptacle aux friandises dont les enfants voudraient se débarrasser. Comme prévu, à la fin de la soirée, Amanda titubait sous le poids de son fardeau. Ma description n'est pas à la hauteur de la réalité. Je ne saurais vous faire part de toute la créativité qui est entrée dans la fabrication de ce costume ni de l'hilarité qu'il causait chez ceux qui l'apercevaient. Il fallait voir la tête des gens lorsque nous passions aux portes. Personne ne restait indifférent. En général, lorsque la porte s'ouvrait, on entendait « Chéri, viens voir ça ! »

Malgré cela, plutôt que de savourer chaque moment de cette « production artistique maison », je me suis mis à songer à tout le travail qui m'attendait en rentrant. J'avais une allocution à préparer et un tas de gens à rappeler. Après quelques maisons seulement, j'ai commencé à afficher des signes d'impatience et Amanda, soucieuse de me plaire, s'est mise à littéralement voler de porte en porte, si bien que nous sommes rentrés tous les deux épuisés.

Lorsqu'elle a été couchée, j'ai commencé à travailler à mon allocution, mais j'étais si éreinté que j'avais du mal à réfléchir. Pourquoi m'étais-je hâté à ce point ? Pourquoi avoir écourté une si belle soirée sous prétexte que j'avais du travail ? De toute façon, j'étais si fatigué d'avoir couru que je ne pouvais même pas travailler. Je me dégoûtais moi-même d'avoir gâché un autre moment magique de l'enfance d'Amanda, et j'étais triste car ce n'était malheureusement pas le premier.

Cette question me hantait doublement. Sur le plan personnel, je venais d'abîmer ma relation avec Amanda, mais ce n'était pas tout. Je commençais à saisir les conséquences spirituelles de ma fâcheuse tendance à toujours me dépêcher, et je comprenais enfin pourquoi toutes les traditions spirituelles préconisent l'importance de vivre au présent et d'apprécier chaque moment qui passe, là, tout de suite. La magie de la vie réside dans l'instant présent. C'est là que se manifeste le sacré, qu'il s'agisse d'une expérience hautement spirituelle ou de la simplissime joie de tenir un enfant par la main le soir de l'Halloween.

Aujourd'hui, mon emploi du temps est dix fois plus chargé qu'au moment où j'ai formulé mon cinquième vœu et, curieusement, il y a longtemps que je ne me sens plus bousculé, pressé ou à court de temps. Depuis, j'ai appris à ralentir, même si le rythme de la vie s'accélère. Nous n'avons jamais fini d'apprendre à savourer l'instant, alors j'espère toujours continuer à m'améliorer. Pour l'instant, je suis immensément satisfait de tout le progrès que j'ai fait à ce chapitre.

Lorsqu'on pense qu'à l'intérieur d'une même vie, je suis passé de quelqu'un qui voulait toujours être ailleurs à quelqu'un qui se sent toujours à sa place, cela tient presque du miracle. Mais cela ne s'est pas fait tout seul. J'ai dû faire un effort conscient pour revenir dans le moment présent chaque fois que je me surprenais à souhaiter être ailleurs. Je me souviens, par exemple, d'avoir assisté, transi de froid, à une partie de soccer où l'équipe de ma fille formée d'élèves de cinquième année de son école se faisait battre à plates coutures par l'équipe adverse. J'avais un terrible mal de tête, exacerbé par les cris d'encouragement des autres parents, et je n'arrêtais pas de rêver à toutes sortes de choses qu'il m'était impossible de me procurer sur place, comme un bon café chaud, un feu de cheminée ou le roman policer qui m'attendait à la maison. Lorsque je me suis surpris à « quitter les lieux », j'ai fait l'effort de revenir dans le présent, là où j'avais du mal à rester parce que j'étais incommodé, et je me suis mis à penser à ce qui m'avait amené à cet endroit. J'étais là pour tenir compagnie à Amanda, partager une tranche de vie avec elle, l'aimer et la soutenir aussi bien dans la victoire que dans la défaite, comme lorsque son équipe prend une belle raclée. Après la partie, nous avons marché vers la voiture bras dessus bras dessous, j'ai pansé son genou écorché et je lui ai proposé de l'amener à la pizzeria avec sa meilleure amie. Ce sont des épisodes comme ceux-là qui donnent à la vie tout son éclat. Si je ne suis pas présent durant de tels moments, c'est comme si je n'assistais pas à ma propre vie. Pas de spectacle, pas d'éclat : il semble que ce soit la règle. À force d'être vigilant et de m'empêcher de « quitter les lieux », j'ai fini par en perdre l'habitude et par être de plus en plus souvent présent à ce qui se passe dans ma vie. Peu à peu, j'y ai pris goût et maintenant, je m'en félicite tous les jours. Pour illustrer mes propos, j'aimerais partager deux de ces précieux instants avec vous.

NULLE PART AILLEURS QU'ICI

Le premier épisode remonte à 1986, lors d'un voyage au Tibet. Il y est question d'une randonnée à bicyclette et d'une visite à un célèbre monastère. Le deuxième épisode, tout aussi sacré à mes yeux, met en scène une promenade à bicyclette en Italie et un bol de soupe. J'ai développé dès l'enfance un grand amour de la bicyclette et, adulte, j'ai parcouru des milliers de kilomètres à vélo. Il n'est donc pas surprenant que ces deux épisodes se soient déroulés lors de randonnées à bicyclette.

Une partie de la route entre Lhassa et Shigatse, deuxième ville en importance du Tibet abritant le monastère Tashilumpo, avait été emportée par les inondations.

Nous avons fini par monter, avec nos vélos, à bord d'un gros camion qui nous a laissés sur un col de 5 000 mètres de hauteur, à environ 80 km de Tashilumpo. Incommodés par l'atmosphère raréfiée qui nous donnait l'impression d'être ivres, il nous a fallu environ une heure pour nous organiser avant d'amorcer notre descente vers le monastère. La première heure a été une des plus grisantes de ma vie : nous avons frôlé des précipices de 300 mètres — sans aucun garde-fou ! — sur un chemin en gravier tortueux et en pente conduisant à un plateau de 3 600 mètres d'altitude. Heureux d'être tous arrivés sains et saufs, nous avons passé quelques minutes à célébrer notre exploit sur les rives de l'un des plus beaux lacs qu'il m'a été donné de voir.

Le reste du voyage a été tout autre. Nous avons gravi et descendu des dizaines de vallons sur une trentaine de kilomètres, fouettés par le vent, à 3 600 mètres d'altitude. Je n'avais jamais soumis mon corps à une telle épreuve de force. À l'époque, je devais avoir une quarantaine d'années et j'étais passablement en forme pour mon âge, mais cette randonnée m'a fait atteindre mon seuil d'endurance. Les rares cyclistes qui étaient dans la vingtaine devançaient de quelques kilomètres le gros du peloton et les sexagénaires, un ou deux kilomètres plus loin, fermaient la procession.

Plus il ventait, plus j'étais déterminé à me rendre à Tashilumpo. Je pédalais presque à bout de forces, en première vitesse, et j'atteignais à peine les trois kilomètres/heure. L'épuisement me guettait. C'est alors que je me suis mis à halluciner. Persuadé que si j'arrivais au monastère, je reverrais ma grand-mère décédée vingt ans plus tôt, je me suis mis à pédaler comme un fou.

J'ai cependant fini par comprendre la véritable nature de cette hallucination, qui n'avait rien à voir avec Tashilumpo. J'ai compris qu'il me fallait m'ouvrir à l'amour que j'avais eu et que j'avais encore pour ma grand-mère, et à la souffrance causée par son absence. J'ai ouvert tout grand la bouche au vent qui s'y engouffrait et j'ai ouvert mon cœur à la tristesse. J'avais l'impression de vivre un rituel de purification. Une part d'ancien était évacuée afin que vive et respire en moi une part de nouveau. Je continuais à pédaler, incapable de réprimer les sanglots qui me faisaient avaler au moins autant d'air que j'en évacuais. Je n'arrêtais pas de penser que jamais plus je ne sentirais l'amour de ma grand-mère. Une partie de moi avait envie de repousser ces émotions en dehors de ma conscience, mais je m'étais juré de goûter chaque instant et, plutôt que de me protéger, je me suis entièrement abandonné à la souffrance de mon deuil, ainsi qu'au bonheur d'avoir connu ma grand-mère et senti son amour pour moi.

Alors que j'étais persuadé de m'effondrer si je faisais le moindre effort supplémentaire, une intuition s'est frayé un chemin dans mon esprit et j'ai été bientôt envahi par une certitude venue de l'intérieur : au plus profond de moi, je *suis* l'amour de ma grand-mère. Je ne perdrai jamais son amour : c'est absolument impossible. Il se loge dans chaque cellule de mon corps. L'amour de ma grand-mère vit en moi et moi en lui. Jamais il ne me quittera — il est ici pour toujours.

Juste à ce moment, une sorte de miracle s'est produit autour de moi. Alors que je pédalais vent devant depuis une heure, voilà que j'avais le vent dans le dos. En effet, au détour d'une courbe, il avait changé de direction et la tortue s'était changée en lièvre : je venais de passer de trois à trente kilomètres/heure. Je continuais à inspirer et à expirer puissamment, sauf que l'air allait et venait librement dans cet immense espace encore occupé il y a quelques minutes par mon ancienne douleur. J'ai poursuivi la descente comme si j'avais des ailes, avalant goulûment de grands bols d'air pur.

Au loin, de modestes habitations éparses se détachaient sur l'horizon, signalant l'approche d'une ville. Debout sur mon vélo, je saluais les moines et les enfants qui me rendaient mon salut le visage éclairé d'un sourire lumineux.

J'ai réussi à me rendre à destination par tout un réseau de rues secondaires, guidé par les gamins qui pointaient le doigt en direction du monastère. Arrivé au portail, j'ai mis les freins. J'étais parvenu au bout de mon voyage.

J'aimerais maintenant vous faire part d'une autre expérience tout aussi exaltante. Je voudrais vous faire goûter la soupe des grands jours. Alors mettez vos papilles gustatives imaginaires en mode « réception » et savourez avec moi cet épisode qui fait partie, depuis maintenant plusieurs années, de mes plus doux souvenirs.

Un jour que Kathlyn et moi roulions à bicyclette sur une route de campagne du nord de l'Italie, je me suis mis à rêver à un bol de minestrone. Nous étions épuisés et transis de froid et avions une longue route à parcourir. Tous les deux ou trois kilomètres, l'un de nous deux lançait à l'autre : « Parle-moi de la minestrone ! » Lorsque la demande m'était adressée, j'évoquais le riche bouillon, l'équilibre parfait des épices, la fraîcheur des tomates, la chaleur du feu de cheminée devant lequel nous serions attablés et tout autre détail susceptible de nous donner la force de continuer. Lorsque c'était à Kathlyn d'en parler, elle surenchérissait jusqu'à en faire un plat digne des dieux. Et nous poursuivions notre route, tête baissée contre le vent, portés par notre quête de la suprême minestrone. La dégustation de notre soupe imaginaire nous amenait également à savourer le moment présent. Lorsque j'envoyais à Kathlyn, le souffle court, un « J'ai mal aux épaules », tandis que nous montions une de ces interminables côtes, elle répondait « Imagine que tu leur donnes une cuillerée de minestrone et qu'une apaisante chaleur calme tous les points douloureux de ton corps ».

Nous avons fini par atteindre la ville d'Alba en fin d'après-midi et, pédalant tranquillement le long de la rue principale, nous nous sommes mis à la recherche du restaurant qui nous servirait le potage dont nous avions tant rêvé. Nous en avons déniché un qui semblait absolument parfait, mais nos cœurs se sont serrés en voyant qu'il n'ouvrait qu'une heure plus tard. Nous en avons repéré un autre qui avait l'air merveilleux, juste en face, mais les propriétaires s'affairaient à sortir les tables et n'étaient pas prêts à ouvrir. Un peu plus et nous nous mettions à pleurer.

Puis, guidés par notre intuition ou par un heureux hasard, nous avons bifurqué sur une petite rue transversale et, juste là devant nous, se dressait le restaurant dont nous avions rêvé. *Et la porte était ouverte !* Dans un grincement de freins, nous nous sommes arrêtés net. Nous sommes descendus de selle et avons tous les deux convergé vers la porte dans une quasi bousculade. Nos narines ont frémi de plaisir à l'arôme d'ail, de pain chaud et de poulet rôti qui flottait dans la pièce.

Hélas ! les employés étaient tous en train de manger autour d'une grande table. Lorsqu'ils ont levé les yeux vers nous, arrivés comme un cheveu sur la soupe, nous avons réalisé que nous étions encore coiffés de nos casques protecteurs. Le maître d'hôtel — le seul qui parlait anglais — s'est approché en s'excusant humblement de ce que le restaurant n'était pas encore complètement ouvert. « Donnez-nous encore une demi-heure, ajouta-t-il, nous prenons une bouchée avant d'ouvrir. »

Mais quelle bouchée ! Nous ne pouvions pas nous empêcher de lorgner du côté de la table au milieu de laquelle trônait, vous l'aurez deviné, une grosse soupière remplie de minestrone, accompagnée de pain tout droit sorti du four. Certains employés étaient si absorbés par leur soupe qu'ils n'ont même pas levé les yeux vers nous.

Nous étions là, comme en transe, les yeux rivés sur la minestrone. Nous en voulions ! Nous en voulions de toutes nos forces et tout de suite !

Je suppose que nous avions l'air bien dépité, car le maître d'hôtel a fait quelques pas de reculons et nous a jeté un regard rempli de compassion. Il a levé le doigt, s'est dirigé vers ses collègues et une discussion animée s'est engagée dans laquelle il semblait plaider notre cause. Puis,

se tournant vers nous, il a prononcé ces mots magiques :
« Tout ce que nous pouvons vous offrir pour l'instant,
c'est un bol de minestrone. Cela pourra peut-être vous
rassasier jusqu'à ce que notre chef finisse de manger ».
Puis il a ajouté sur le ton de la confidence : « Il ne cuisine
pas à moins d'avoir mangé ». Un peu plus, et nous
versions des larmes de gratitude. Nous l'avons remercié
d'un signe de tête, avons soufflé des baisers en sa direction, et nous sommes dirigés en titubant jusqu'à la table la
plus proche. Le temps de retirer casques et gants et voilà
qu'apparaissaient devant nous deux gros bols de minestrone fumant, auxquels s'ajoutèrent un pain à l'odeur
divine et deux ballons de rouge. Après avoir remercié
avec effusion, nous avons saisi nos cuillers et il y eut à
Alba, pendant les trente minutes qui ont suivi, une grande
fête de la soupe !

Et quelle soupe ! Un repas princier ! Je n'arrêtais pas
de demander à Katie « Qu'est-ce que c'est que cette épice ? »
ou « Comment font-ils pour obtenir des tomates aussi
savoureuses ? » Cette expérience culinaire dépassait, il va
sans dire, toutes nos attentes. Après avoir fini de manger,
nous nous sommes regardés dans les yeux et avons fait un
pacte : celui de mettre fin à notre quête. Jamais plus nous
ne commanderions de minestrone dans un restaurant !
Point à la ligne.

Plusieurs années se sont écoulées depuis cette journée
mémorable à Alba, mais il ne se passe pas un hiver sans
que je lance à Katie un nostalgique « Tu te souviens de la
minestrone qu'on a mangé à Alba ? Du riche et nourris-
sant bouillon dans lequel flottaient des petits morceaux de

bacon maigre ? Tu te souviens des haricots cuits à la perfection ? Et comment cette soupe semblait nourrir jusqu'à notre âme ? » Et Katie, chef émérite, se mettait elle aussi à rêver jusqu'à ce que le lendemain, ou le surlendemain, s'échappe de la cuisine l'odeur enivrante du minestrone. Katie, la femme-orchestre qui a fait des miracles dans ma vie, celle qui sait écrire des livres, se servir d'une perceuse électrique, et cultiver des fleurs qui remportent des prix d'excellence, venait de signer un autre de ses chefs-d'œuvre.

Alors je goûtais, je savourais, et je débordais de gratitude dans cette pièce même où tous mes vœux étaient exaucés.

CHAPITRE SIX

À VOUS MAINTENANT

Comment stimuler
votre pouvoir intérieur

Le moment tant attendu est arrivé.

À vous maintenant de faire votre propre voyage intérieur.

Depuis ma conversation avec Ed, j'ai posé ces mêmes questions des milliers de fois à des clients, parents et amis, ce qui m'a permis, au fil des ans, d'élargir et de raffiner ma méthode. Dans ce chapitre, c'est à vous que je vais m'adresser, exactement comme si vous étiez dans mon bureau. En cours de route, je vous parlerai également de gens que j'ai eu le plaisir d'accompagner dans la démarche des cinq vœux.

Pour vous faciliter la tâche, j'ai mis au point une feuille de travail (disponible en anglais seulement) que vous pouvez imprimer en allant sur mon site web au www.5wishesbook.com. Vous pouvez également écrire dans un journal personnel, un cahier ou dans ce livre-ci.

Lorsqu'on vient me consulter au sujet des cinq vœux, je commence par une brève explication suivie d'une invitation. Imaginez que vous êtes cette personne et que je vous dise ceci : « Alors que j'étais dans la trentaine, j'ai reçu en cadeau une question qui a changé le cours de ma vie. En choisissant d'y répondre, j'ai enclenché un processus par lequel tous mes rêves se sont réalisés. J'aimerais à mon tour vous offrir ce cadeau : une méthode douce pour apprendre à vivre pleinement. »

Je me tourne ensuite vers vous et je vous demande « Êtes-vous prêt à recevoir en cadeau cette question et à vous en servir pour apprendre à vivre pleinement ? »

Dans l'affirmative, je vous invite à vous imaginer sur votre lit de mort à l'âge que vous avez maintenant ou que vous aurez dans cinquante ans, peu importe.

Je m'approche du lit où vous êtes allongé et je vous demande « Avez-vous réussi votre vie sur toute la ligne ? »

Répondez par oui ou par non.

Si vous avez répondu « non », demandez-vous pour-quoi et prenez le temps d'écrire vos réponses. Ne fuyez sous aucun prétexte : obligez-vous à répondre immédia-tement. Vous vous souvenez de ce qu'a dit Ed ? « Plus la question est pénétrante, plus il est important d'y répondre tout de suite. Le moment présent est tout ce dont vous avez besoin. C'est le seul, d'ailleurs, que vous ayez vraiment. »

Alors allez-y. Prenez du papier (ou utilisez la feuille de travail) et faites-le maintenant. Transcrivez les phrases ci-dessous et complétez-les. Énumérez vos raisons en commençant par la plus importante. Commencez par écrire à la forme négative. Comme le dit Ed « c'est une merveilleuse façon de se libérer l'esprit ».

✦

Je n'ai pas réussi ma vie sur toute la ligne parce que je n'ai pas

Écrivez maintenant les quatre autres raisons :

Je n'ai pas réussi ma vie sur toute la ligne parce que je n'ai pas...

Je n'ai pas réussi ma vie sur toute la ligne parce que je n'ai pas...

Je n'ai pas réussi ma vie sur toute la ligne parce que je n'ai pas...

Je n'ai pas réussi ma vie sur toute la ligne parce que je n'ai pas...

✦

Relisez maintenant votre première raison afin de vous assurer que c'est bel et bien la plus importante à vos yeux ; si ce n'est pas le cas, changez-la de place. Lorsque vous serez certain de vos choix, transformez ces énoncés en vœux :

✦

Pour avoir réussi ma vie sur toute la ligne, il aurait fallu que…

Et que…

Et aussi que…

Et que…

Et que…

Si j'avais fait ou vécu ces choses, je
considérerais que j'ai réussi ma vie.

❊

ÉMOTIONS ET CROYANCES RESTRICTIVES

La démarche des cinq vœux aura probablement pour effet de faire surgir en vous des émotions et des croyances restrictives, c'est-à-dire qui freinent la réalisation de vos vœux. Si cela se produit, c'est que vous êtes sur la bonne voie. En effet, cette démarche vise à faire remonter à la surface vos émotions et croyances restrictives pour que vous puissiez en prendre connaissance et vous en libérer. Il est important, lors de ce processus, d'accueillir sans préjugés tout le bagage qui revient à la surface.

La plupart du temps, on ressent de la tristesse, de la colère ou de la peur. Parfois les trois. Peu importe ce qui émerge, contentez-vous d'ouvrir la porte et de dire « bienvenue ».

Il en va de même des croyances restrictives. Au fur et à mesure que vous avancerez dans votre démarche des cinq vœux, vous serez confronté à d'anciens « programmes » installés en vous depuis longtemps, parfois même à votre insu. La plupart du temps, nous ne savons pas qu'il s'agit d'une simple croyance restrictive. Aussi fausse soit-elle, nous avons pourtant l'impression qu'elle est coulée dans le béton. J'ai vu des dizaines de personnes soulagées en découvrant que ce en quoi elles croyaient dur comme fer n'était qu'un manège imaginaire dans lequel elles tournaient en rond, prisonnières de leurs propres limites.

Voici un certain nombre de croyances restrictives parmi les plus courantes :

Je suis trop vieux pour...

Je n'ai pas assez d'argent pour...

Je ne suis pas assez intelligent pour...

Je dois attendre que... avant de pouvoir...

J'aimerais vous citer en exemple Dora, une quinquagénaire que j'ai accompagnée dans la démarche des cinq vœux. Elle était divorcée après un mariage qu'elle qualifiait de « long, ennuyeux et froid ». Une fois les enfants élevés, elle et son mari ont continué de s'éloigner jusqu'à ce que chacun poursuive sa route séparément. Sur sa feuille de travail, elle avait écrit entre autres : « Si je n'ai pas réussi ma vie sur toute la ligne, c'est surtout parce que je n'ai jamais su ce qu'était le vrai bonheur ». Aussitôt qu'elle a posé son stylo, elle a éclaté en sanglots. Je l'ai alors invitée à rester dans sa tristesse, à l'apprivoiser et à l'accepter.

J'ai remarqué que plusieurs personnes retiennent leur souffle lorsqu'elles sentent venir une émotion. Enfant, je faisais cela aussi pour m'empêcher de pleurer. Lorsque j'ai vu Dora pleurer en retenant son souffle, je l'ai invitée à se servir de sa respiration pour accueillir sa tristesse plutôt que de la réprimer. Je lui ai enseigné à respirer longuement et calmement tout en sentant son nœud dans la gorge et la brûlure des larmes. Soudain, elle a eu froid et je me suis souvenu que cela se produit souvent chez les gens qui ont peur. Je lui ai donc demandé si elle sentait la peur quelque part dans son corps, peut-être sous forme de légère nausée accompagnée d'une sorte de battement d'ailes qu'on appelle « des papillons dans l'estomac ». Elle a hoché la tête et répondu qu'en effet, elle avait peur et lorsque je l'ai invitée à écouter sa peur et à en cerner la cause, elle a répondu « J'ai peur de ne jamais connaître le bonheur. »

Comme je le disais précédemment, souvent les gens prennent leurs croyances pour la réalité. Lorsque j'ai demandé à Dora d'où elle tenait sa croyance voulant qu'elle ne connaîtrait jamais le bonheur, elle a écarquillé les yeux et répondu : « Ce n'est pas exactement ce que j'appelle une croyance. Vous arrive-t-il, vous, de rencontrer des gens heureux dans la rue ? » Dora avait réussi, je ne sais comment, à étendre sa croyance à l'humanité tout entière. Je l'ai alors invitée à remonter dans le temps jusqu'à la première fois où elle a eu l'impression qu'on ne pouvait pas être heureux. En apercevant une petite grimace d'irritation et de dégoût sur son visage, j'ai voulu savoir ce à quoi elle pensait.

« À ma grand-mère, a-t-elle répondu, l'être humain le plus amer que j'aie jamais rencontré. »

Elle a entrepris ensuite de me raconter comment, depuis trois générations, les femmes dans sa famille ont connu de multiples trahisons et peines de cœur. Sa mère, ainsi que sa grand-mère, s'étaient retrouvées seules et indigentes après le décès ou le départ de plusieurs maris successifs. Puis, Dora a eu une révélation : « Cela pourrait-il expliquer mon choix de mari… ? J'ai tout de suite su que ce n'était pas un homme pour moi, mais j'étais certaine d'une chose : jamais il ne me quitterait ou me trahirait ». Et les larmes ont de nouveau fusé. « Ce n'est pas viser bien haut lorsque notre seule exigence, en se mariant, est d'épouser un homme qui ne vous quittera jamais », ajouta-t-elle. Je lui ai dit que c'était tout à fait normal pour quelqu'un ayant ces antécédents, et que l'important était de comprendre qu'elle n'était aucunement limitée par cette croyance ni par aucune autre.

Vous avez beaucoup à gagner en invitant vos émotions et vos croyances à faire surface, car une fois exposées au grand jour, elles perdent leur emprise. Comme je l'ai fait avec Dora, demandez-vous ce qui a pu vous empêcher de réaliser vos cinq vœux jusqu'à maintenant. Fouillez votre passé pour débusquer les expériences ou tendances à l'origine de vos croyances restrictives. Il est temps de les mettre au jour et de les déprogrammer.

J'ai noté chez Dora, au fur et à mesure que nous progressions, une certaine légèreté dans ses traits et sa voix.

Voici comment elle a formulé ses cinq vœux :

❖

Pour que ma vie soit une réussite sur toute la ligne, il aurait fallu que je sois véritablement heureuse.

Que je consacre davantage de temps à ma croissance personnelle.

Que je connaisse la sensation d'être amoureuse.

Que je me consacre à une cause ou à une passion qui m'amène à me dépasser.

Et que j'occupe un emploi que j'aime réellement.

❖

S'ENGAGER ENVERS LA VIE

Comparez le vœu de Dora à celui de Connie, une femme de trente ans :

❖

Pour que ma vie soit une réussite sur toute la ligne, il aurait fallu que je vive passionnément jusqu'au bout.

❖

Derrière ce vœu se cachait la peur d'être coincée dans un emploi sans issue et dans un mariage brimant sa liberté. Elle avait connu la joie de s'engager à fond dans un travail auprès d'un groupe de défense de l'environnement, et entretenait depuis plusieurs années une relation étroite avec un homme qu'elle aimait. Elle était libre de voyager seule et d'aller suivre des séminaires sans avoir à expliquer ou justifier quoi que ce soit, mais voilà que sa famille la pressait de poser ses pénates, de se trouver un « véritable emploi » et d'épouser son amoureux. Comme sa famille finançait une partie de ses aventures, Connie se sentait contrainte de tenir compte de son opinion, du moins plus que ne le ferait la moyenne des jeunes gens de trente ans.

Derrière son vœu de vivre passionnément se cachait la peur de s'installer dans la routine et de sacrifier une partie de sa liberté. Si j'ai fait un rapprochement entre Dora et Connie, c'est que les deux femmes étaient confrontées, chacune à sa façon, à l'un des plus grands dilemmes qui soient : se jeter corps et âme dans la vie ou la regarder comme on assiste à une partie de soccer, en spectateur, confortablement assis, rouspétant ou roupillant jusqu'au prochain coup de sifflet. Connie se tient sur la ligne de touche et fait tout son possible pour éviter d'être exclue de la partie, tandis que Dora ressent du désespoir lorsqu'elle se tourne vers son passé et constate qu'elle s'est elle-même exclue de la partie il y a déjà longtemps. Elle essuie les conséquences d'un ancien choix dont la plupart de nous ne sommes même pas conscients. (Personnellement, j'étais dans la vingtaine lorsque je me suis rendu compte que j'étais profondément enlisé dans la médiocrité. Comme Monsieur Duffy, un personnage de James Joyce, je vivais quelque part à côté de mon corps, absent de ma propre vie.)

La démarche des cinq vœux a ceci d'extraordinaire qu'elle se fait à tout âge, peu importe comment on a vécu jusque-là. Il n'est jamais trop tard pour découvrir l'essentiel dans la vie. En peu de temps, Dora a réussi un coup de maître. Vers la fin de sa démarche, elle a reformulé ses vœux au temps présent de manière à en faire des objectifs. Son vœu d'être heureuse est devenu : « Je suis maintenant heureuse où que je sois et quoi que je fasse ». Je lui ai demandé de répéter plusieurs fois cette phrase à voix haute jusqu'à ce qu'elle se sente à l'aise avec cet énoncé qui, une heure plus tôt, lui semblait inconcevable, voire farfelu. Lorsqu'elle s'y est mise, un sourire est apparu sur ses lèvres et je lui ai demandé à quoi elle pensait.

Elle a répondu qu'elle se sentait à la fois nerveuse et excitée, mais « il y a autre chose », a-t-elle ajouté.

Puis, elle a évoqué l'existence d'un agréable coussin d'air enveloppant sa nervosité et son enthousiasme, ce qui a tout de suite attiré mon attention, car je soupçonnais depuis longtemps que le bonheur est davantage qu'une simple émotion, qu'il est l'émotion globale résultant de l'ensemble de nos émotions. C'est une sensation agréable et subtile que ressent quiconque est ouvert à ses émotions, au moment présent et à la vie en général. Et cela correspondait en tous points à la description qu'en faisait Dora.

« Félicitations, ai-je dit, vous êtes déjà en voie de réaliser votre vœu le plus cher qui consiste à être heureuse où que vous soyez, quoi que vous fassiez. Et son sourire s'est élargi.

« Il ne vous reste plus qu'à pratiquer maintenant », ai-je conclu.

À l'issue de sa démarche, Connie a, quant à elle, décidé de résister à la pression de sa famille et de ne pas réduire ses attentes face à la vie uniquement pour lui plaire. Après l'avoir remerciée du soutien financier qu'elle lui avait accordé jusque-là, elle lui a dit qu'elle n'accepterait plus ses dons en argent. Elle a déniché un certain nombre de contrats comme consultante, puis elle s'est trouvé un emploi à son goût comme organisatrice et accompagnatrice d'écovoyages.

VOS CINQ VŒUX
DANS L'ICI ET MAINTENANT

Le moment est venu de transformer vos cinq vœux en objectifs. Reformulez-les au présent comme s'ils se réalisaient maintenant, en commençant par le plus important. Si vous aviez écrit par exemple :

✷

Ma vie n'est pas une réussite sur toute la ligne parce que je n'ai jamais trouvé l'âme sœur.

✷

Vous pouvez transformer cela en énoncé affirmatif, (au présent, comme si ça se passait maintenant) :

✷

Ma vie est une réussite sur toute la ligne parce que maintenant, je suis comblé par ma relation amoureuse avec mon âme sœur.

✷

À vous maintenant de reformuler votre vœu le plus cher au présent. Allez-y :

✷

Ma vie est une réussite sur toute la ligne
parce que maintenant, ...

❖

Relisez-le quelques fois. Répétez-le à voix haute jusqu'à ce que vous sachiez si cela trouve un véritable écho dans votre cœur et dans votre âme.

Passez ensuite aux suivants : comme vous l'avez fait pour le premier vœu, transformez les quatre autres en objectifs. Formulez-les au présent, comme si c'était vrai maintenant.

❖

Ma vie est une réussite sur toute la ligne
parce que maintenant,...

Et que maintenant,...

Et aussi que maintenant,...

Et que maintenant,...

Et que maintenant,...

❖

DES MESURES CONCRÈTES

Pour que vos vœux se réalisent, il vous faudra prendre des mesures concrètes et c'est à vous qu'il appartient de les déterminer. Parfois elles s'imposent immédiatement à l'esprit, parfois nous devons nous creuser un peu les méninges pour les trouver. À titre indicatif, je vous parlerai de Sandy, une amie à moi, et de sa démarche personnelle.

Un après-midi que je travaillais sur le livre que vous avez entre les mains, Sandy nous a rendu visite à la maison. Elle est descendue à mon bureau avec Kathlyn, qui m'apportait un thé, et elle s'est informée du sujet de mon livre. Elle s'est montrée tellement intéressée qu'elle a voulu faire la démarche tout de suite avec moi. Quinze minutes plus tard, elle avait déjà terminé une liste qui ressemblait à ceci :

❖

*Pour avoir réussi ma vie sur toute la ligne, il aurait fallu que
j'aie un travail et une carrière que j'aime réellement.*

Et que j'aie vu de mes propres yeux les pyramides d'Égypte et le Taj Mahal.

Et aussi que j'aie terminé ma maîtrise à l'université.

Et que j'aie continué à écrire de la poésie après la naissance de mes deux fils.

Et que j'aie passé plus de temps à faire des choses amusantes avec mon mari.

❖

Voici les vœux de Sandy transformés en objectifs au temps présent :

❖

J'ai réussi ma vie sur toute la ligne
parce que maintenant, j'ai un travail et une carrière
que j'aime réellement.

Et que maintenant, j'ai vu de mes propres yeux
les pyramides et le Taj Mahal.

Et aussi que maintenant, j'ai une satisfaction
à terminer ma maîtrise à l'université.

Et que maintenant, j'écris de la poésie tous les jours.

Et que maintenant, je passe beaucoup de temps à me
détendre avec Paul.

✵

Sa liste reflète une réalité que vous découvrirez vous aussi en dressant la vôtre : il y a des objectifs que vous pourrez réaliser tout de suite et d'autres qui mettront du temps à se concrétiser. Dans le cas de Sandy, par exemple, il lui manquait une année d'études pour obtenir sa maîtrise. Comme elle avait quitté l'université depuis déjà dix ans, elle n'était pas certaine de pouvoir reprendre là où elle avait arrêté. Il lui restait donc passablement de travail avant de pouvoir réaliser ce vœu. Par contre, rien ne l'empêchait de réaliser son quatrième vœu immédiatement. Nous avons donc travaillé ensemble à l'élaboration d'un plan d'action permettant d'y arriver.

Je lui ai demandé de réfléchir à la première chose qu'elle pourrait faire pour se remettre à la poésie et elle a dressé toute une liste de mesures comme d'acheter un certain type de cahier, se réserver du temps pour écrire, etc. Lui fallait-il vraiment posséder un cahier spécial et disposer d'une période de temps ininterrompue pour écrire ? N'avait-elle pas déjà tout ce qu'il lui fallait ? Je lui ai alors tendu une page blanche et un stylo en disant : « Tu vois, tu pourrais écrire un poème là, tout de suite, si tu le voulais ». Et elle a répondu en riant : « Bon d'accord, je saisis. Je peux écrire un poème n'importe quand si je le veux ». Dans la demi-heure qui a suivi, Sandy en a écrit plusieurs, et bien qu'elle les ait trouvés moyens, au moins s'était-elle remise à la poésie.

Le fait de dresser la liste de ses cinq vœux et de les avoir transformés en objectifs a donné à Sandy un surplus d'énergie et de lucidité. Elle m'a dit quelques mois plus tard : « Ça a remis de l'ordre dans mes idées et ça m'a permis de redécouvrir ce que j'attendais de la vie. »

La démarche avait également produit des résultats concrets et immédiats. « J'ai continué d'écrire, m'a-t-elle confié, et j'ai fini par pondre un beau poème alors que je n'en étais plus capable depuis des lustres. Et ce poème a ouvert les vannes à une vingtaine d'autres depuis. J'ai raconté tout cela à mon mari et je lui ai dit qu'un de mes objectifs était de passer davantage de temps de qualité avec lui. Il a souri et nous avons tout de suite convenu d'un soir par semaine pour nous détendre ensemble. »

Parmi ses objectifs, certains mettront du temps à se réaliser, comme d'avoir une carrière à son goût, de terminer sa maîtrise et de voir le Taj Mahal, mais elle a dressé la liste des mesures concrètes qui y mèneront et commencé à faire le nécessaire. En attendant de visiter le Taj Mahal et les pyramides, elle profite de son surplus d'énergie et de créativité. Elle ira peut-être aussi explorer d'autres lieux remplis de mystère, qui sait ? Les objectifs ne sont jamais coulés dans le béton ; on peut toujours y revenir encore et encore et les transformer en fonction de ce que nous avons appris de nouveau sur nous-mêmes.

Penchez-vous sur vos objectifs. Quelles mesures concrètes pouvez-vous prendre là, tout de suite, pour vous en rapprocher ? Prenez le temps de vous creuser les méninges et de les coucher sur papier. Allez chercher l'aide et les ressources dont vous avez besoin pour les atteindre. Ce peut être un livre, un cours, un groupe de gens qui pensent comme vous, etc. Continuez à nourrir l'élan que vous a donné la démarche des cinq vœux : mettez vos mesures concrètes en application et notez vos progrès.

LES ARGUMENTS DISSUASIFS

Soyez vigilant tout au long du processus. Il se peut que vous soyez victime de vos propres arguments dissuasifs. J'entends par là le monologue incessant entretenu par le mental et toute autre réaction déclenchée par l'introduction d'une nouvelle idée positive dans votre esprit. Vos croyances sont fondées sur une ancienne programmation et votre esprit va tout naturellement se rebeller dès que vous lui présenterez une nouvelle idée positive, aussi brillante soit-elle. Cela correspond à la réaction des autorités à toute idée originale. Lorsque Copernic et Galilée ont commencé à parler de leurs nouvelles idées, par exemple, les autorités ont très mal réagi. *Un instant !*

dirent les autorités, *c'est évident que le soleil tourne autour de la terre ! Mais voyons, la terre est manifestement plate !* Nos esprits fonctionnent à peu près de la même façon. Alors attendez-vous à des arguments dissuasifs lorsque vous émettrez l'idée radicale selon laquelle vous pouvez réaliser vos désirs les plus chers.

Lorsque vous énoncerez une idée positive, à voix haute ou même en pensée seulement, des arguments dissuasifs ne manqueront probablement pas de fuser immédiatement dans votre tête, votre corps ou sous forme d'émotion. Parfois même les trois à la fois. Je vous invite à en prendre conscience et même à les accueillir.

Il faut en effet accueillir les arguments dissuasifs, car ils sont tout ce qu'il y a de plus naturel et normal. Cela indique que l'idée que vous avez introduite dans votre tête est en train de prendre racine. Dès que vous vous direz, par exemple, « J'ai réussi ma vie sur toute la ligne parce que je m'épanouis maintenant dans le cadre d'une relation aimante avec mon âme sœur », votre esprit pourrait produire toute une série d'arguments du genre de « C'est impossible ! » ou « Oublie ça, personne dans la famille n'a jamais connu ça ». Les arguments peuvent également se manifester dans votre corps et à travers vos émotions. Une vague de tristesse peut vous envahir, un tic nerveux s'installer ou votre mâchoire se serrer. Acceptez-en toutes les manifestations. C'est une façon d'apprendre rapidement ce qui a longtemps fait obstacle à la réalisation de vos plus chers désirs. Si vous ressentez de la tristesse, par exemple, il est évident qu'une tristesse non digérée vous empêchait de trouver un partenaire et de connaître l'amour. C'est bon à savoir : vous apprendrez ainsi à ressentir de la compassion pour vous-même.

La meilleure façon de réagir aux arguments dissuasifs est de les accueillir avec amour, compassion et compréhension. Il n'est nullement nécessaire de les critiquer ni de perdre du temps en récriminations. Contentez-vous de les considérer avec tendresse et passez à autre chose : occupez- vous plutôt de ce qui vous permettra de vivre pleinement.

RETOUCHEZ AU BESOIN

Lorsque vous serez satisfait de vos cinq vœux et convaincu qu'ils vous conviennent parfaitement et vous sont bénéfiques, restez ouvert à d'éventuelles modifications au fur et à mesure que le temps passera. Imaginez que vos cinq vœux sont une magnifique garde-robe que vous venez d'acheter et que vous portez. Regardez-vous dans le miroir et voyez si ces « vêtements neufs » vous vont bien. Apportez-leur des petites retouches pour les rendre plus seyants. Remodelez-les selon vos goûts, changez quelques mots ou remplacez un vœu par un autre qui vous convient mieux. Mais avant de faire une substitution, posez-vous la question suivante : *Est-ce que je laisse tomber ce vœu uniquement parce que j'estime qu'il est trop difficile à réaliser ?* Pour y répondre, rien de tel que d'en poser une autre : *S'il n'était pas si difficile à réaliser, songerais-je encore à le remplacer ?* J'aimerais illustrer mes propos en vous parlant de Jerry, un homme aujourd'hui décédé, que j'ai rencontré il y a plus de trente ans et qui continue de m'inspirer par son courage et sa détermination. Il avait environ quarante-cinq ans lorsqu'il s'est mis à détester son travail. Il était devenu avocat faute d'avoir fait sa médecine. À l'époque, il doutait d'être assez intelligent pour de telles études et de toute façon, sa famille avait insisté pour qu'il fasse son droit. Maintenant qu'il était dans la quarantaine, aucune école de médecine ne voulait de lui aux États-Unis. Il était consterné et désespéré à l'idée de finir sa vie sans avoir réalisé son vœu le plus cher, mais heureusement, il s'est posé la question suivante : *Si ce n'était pas si difficile, est-ce que je voudrais quand même le faire ?* Comme la réponse a été un *oui* retentissant, il a continué d'accorder la priorité absolue à son rêve. Puis, une possibilité inattendue s'est présentée. Une école de médecine hollandaise était prête à l'accepter. Il pouvait même commencer dans six semaines. Il y avait un seul hic : tous les cours se donnaient en néerlandais. Il lui paraissait impossible d'apprendre assez bien le néerlandais pour être en mesure de suivre des cours dans cette langue, mais encore une fois, il s'est demandé : *Si c'était moins difficile, est-ce que ça m'intéresserait tout autant ? Bien sûr que si !* Alors au cours des six semaines qui ont suivi, il a étudié et pratiqué le néerlandais dix-huit heures par jour et, à son premier cours, il a même été capable de prendre des notes dans cette langue. Il était dans la cinquantaine lorsqu'il a commencé enfin à pratiquer, après de nombreuses années d'études, d'internat et de résidence. La dernière fois que je l'ai rencontré, il était encore, à près de quatre-vingts ans, membre à part entière de la profession médicale, et il n'avait rien perdu de son enthousiasme.

LE PLUS IMPORTANT

Si j'en juge par ce que j'ai vécu personnellement et par ce que les autres m'ont raconté ces trente dernières années, les humains sont en général beaucoup plus capables qu'ils ne le croient de réaliser leurs rêves. Je suis persuadé que nous pouvons réaliser tous nos objectifs importants dans la mesure où notre cœur et notre esprit sont en accord avec eux. J'avais cinq objectifs importants à mes yeux. Il se peut que vous en ayez moins ou plus, mais quelque soit leur nombre, c'est la qualité de vos objectifs et l'écho qu'ils trouvent en vous qui importent réellement.

Sur votre lit de mort, il faut qu'à votre dernier souffle, vous inspiriez la satisfaction d'avoir bien vécu et que vous expiriez la certitude d'avoir fait tout ce que vous deviez faire. Pour ce qui est du moment présent, il est important que votre prochaine respiration nourrisse votre intention de réaliser votre destinée.

Je serai toujours reconnaissant à la vie d'avoir mis sur mon chemin un étranger qui m'a posé une question me mettant au défi de changer ma vie. Je lui suis également reconnaissant de pouvoir à mon tour vous présenter ces possibilités et ces choix. La rédaction de ce livre continue à participer à la réalisation de mon troisième vœu.

C'est ainsi que se termine notre périple, du moins sous sa forme actuelle. Je vous remercie d'avoir ouvert votre cœur et votre esprit aux transformations miraculeuses dont il a été question dans ce livre, et je vous prie d'emporter avec vous ces paroles qui viennent du fond du cœur :

❖

Où que vous conduise votre destinée,
puissent vos vœux les plus chers se réaliser
et puissiez-vous en profiter pleinement
jusqu'à votre dernier souffle.

❖

EN SUPPLÉMENT :

Le site web et le film
Five Wishes

LE SITE WEB :
WWW.5WISHESBOOK.COM

Le site web www.5wishesbook.com est une mine de renseignements*. J'aimerais attirer votre attention sur ce qui pourrait vous être particulièrement utile.

Sachez premièrement qu'il existe un réseau en pleine croissance de gens engagés dans la démarche des cinq vœux, et que vous pouvez agir en synergie avec ceux qui cheminent sur la même voie que vous. Le site web vous indique comment former un tel groupe virtuellement, par téléphone ou en personne. Vous y trouverez également l'horaire des téléconférences gratuites que je donne sur divers aspects de la démarche des cinq vœux.

Deuxièmement, le site vous offre la possibilité d'afficher la liste de vos propres vœux afin que d'autres personnes puissent en prendre connaissance. Libre à vous de rester anonyme ou de donner votre véritable nom. Il y a également, sur le site web, un endroit où vous pouvez

---

* En anglais seulement (*N.d.T.*)

inscrire tout ce que vous avez achevé qui était resté en plan dans votre vie (à ce sujet, voir le chapitre portant sur mon deuxième vœu dans le livre). Vous serez étonné, je crois, de la formidable énergie que vous ressentirez en partageant vos cinq vœux et vos réalisations et en prenant connaissance de l'expérience des autres participants.

Troisièmement, vous trouverez régulièrement de nouvelles rubriques, ainsi que des mises à jour de la feuille de travail. Consultez souvent notre site web afin d'obtenir les toutes nouvelles versions du matériel gratuit mis à votre disposition. Vous y verrez également des vidéoclips de gens qui travaillent à la réalisation de leurs cinq vœux.

LE FILM

Du plus loin que je me souvienne, j'ai toujours été amateur de cinéma. Enfant, je pressentais déjà qu'un jour je travaillerais dans le domaine du film. Comme vous le savez peut-être, Kathlyn et moi, de concert avec Stephen Simon, avons fondé le *Spiritual Cinema Circle* et en 2004, nous avons commencé à distribuer ce que nous appelons « des films qui comptent ». À l'heure qu'il est, nous faisons parvenir une compilation mensuelle de courts-métrages, longs-métrages et documentaires à nos membres dans plus de quatre-vingt pays à travers le monde. Nous avons également produit *Conversations with God*, le long-métrage original, ainsi que des courts-métrages.

Après la première ébauche de ce livre, à laquelle j'ai travaillé jour et nuit pendant des mois, j'ai eu besoin de me reposer de l'écriture, processus intense s'il en est.

J'avais l'intention de mettre de côté le livre pendant au moins une semaine et de ne plus y penser du tout. Mais mon esprit semblait en avoir décidé autrement. Une nuit, juste avant 3 heures du matin, je me suis réveillé avec une nouvelle idée en tête, quelque chose de différent qui ne m'avait jamais traversé l'esprit auparavant : écrire un scénario de court-métrage inspiré de la première partie du livre où je raconte ma conversation avec Ed, celle qui a tout déclenché.

J'étais tellement pris par ce projet qu'un mois plus tard, le scénario était écrit, j'avais donné le feu vert aux responsables de la production et choisi une merveilleuse distribution. Rien de tout cela n'aurait abouti sans le précieux concours de Kathlyn. À titre de directrice exécutive, elle s'est occupée de la logistique, du casting et du financement. Elle a, en outre, gentiment servi d'hôtesse aux dizaines de personnes qui ont participé à cette aventure.

Je savais, dès le départ, qui je voulais pour le premier rôle et comme metteur en scène : Michael Goorjian. J'avais eu l'occasion d'admirer son jeu d'acteur dans de nombreux films, surtout dans *Hard Rain*, aux côtés de Morgan Freeman. J'avais, par ailleurs, été extrêmement impressionné par ses talents de metteur en scène dans *Illusion*, un film de Kirk Douglas aux côtés de qui il jouait également. Il avait en outre le même âge que moi lorsque j'ai rencontré Ed, ce fameux soir. J'ai donc demandé à Michael d'interpréter mon rôle et de diriger le film et, à ma grande joie, il a accepté. Après avoir beaucoup cherché l'acteur qui pouvait représenter Ed, Michael s'est tourné vers moi. J'ai d'abord été estomaqué par cette suggestion, car si j'avais participé à des centaines d'émissions de télévision et de radio, je n'avais jamais joué ni au cinéma ni au théâtre. Une fois calmé, cependant, j'ai commencé à comprendre la logique qui se cachait derrière cette proposition. Après tout, je savais comment ça c'était passé puisque j'y étais et en plus, j'avais le même âge que Ed au moment où il m'a posé la question qui allait bouleverser ma vie.

Je suis très fier de ce film. Le résultat va bien au-delà de mes espérances. En un peu moins de vingt minutes, il raconte la soirée, la conversation et les prises de conscience qui en ont découlé. Ont contribué à la magie du film les acteurs et l'équipe de production qui se sont intéressés non seulement au scénario, mais à la démarche même des cinq vœux. Quelle satisfaction que de les voir penchés sur leur feuille de travail à l'heure du lunch et de les entendre se parler de leurs vœux ! Le film a été pour nous tous une expérience de transformation. J'espère qu'il en sera ainsi pour vous aussi. Afin que vous ayez une idée du degré d'engagement des acteurs et de l'équipe de production dans la démarche des cinq vœux, j'aimerais vous raconter en partie celle de Michael, metteur en scène et premier rôle.

En plus d'être un acteur et un metteur en scène doué, Michael se passionne pour les profondeurs de l'âme humaine, aussi bien la sienne que celle des autres. Il est tout le contraire des nombreux acteurs que j'ai rencontrés — dont de très grandes vedettes — et qui n'ont pour ainsi dire pas plus de profondeur qu'une feuille de papier. Lorsque j'ai suggéré à Michael d'entreprendre la même démarche que celle que j'ai faite avec Ed à trente-quatre ans, il a tout de suite accepté.

Notre conversation s'est déroulée comme suit :

— Prêt ? ai-je demandé à Michael.

— Oui, a-t-il répondu.

— Michael, imagine-toi sur ton lit de mort, là maintenant ou dans cinquante ans. J'arrive près de toi et je te demande « As-tu réussi ta vie sur toute la ligne ? »

Il a fermé les yeux, s'imaginant la scène.

— Répondrais-tu par oui ou par non ?

Après une courte pause, il a dit :

— Je serais obligé de dire « non ».

— Et pourquoi donc ?

— Ce n'est pas que j'aie raté ma vie sur toute la ligne, mais je ne crois pas avoir été à la hauteur de mon potentiel.

— Quelle est la chose la plus importante que tu n'as pas encore développée à sa pleine mesure ?

— Je dirais que je n'ai pas suffisamment développé mon intériorité et que je ne sais pas réellement pourquoi j'existe. Je voudrais vraiment savoir ce que je fais ici sur terre. Je ressens une certaine précarité face à mon existence. Il y a des gens qui croient en quelque, ce qui donne un sens à leur existence. D'autres ne s'en font pas du tout avec ce genre de question : ils sont trop occupés par le reste. Je n'appartiens ni à l'une ni à l'autre de ces catégories et j'aimerais réellement savoir pourquoi j'existe.

Je lui ai demandé s'il y avait autre chose qu'il estimait ne pas avoir réussi et il a répondu :

— Je n'ai pas l'impression d'avoir été à la hauteur de mon potentiel créatif. J'ai fait du bon travail, mais à mon avis, je n'ai jamais donné d'interprétation magistrale ni produit de chef-d'œuvre.

Nous sommes restés silencieux un moment, absorbés par ses propos. J'étais ému d'entendre Michael s'exprimer aussi magnifiquement et simplement. Il a poursuivi :

— La génération à laquelle j'appartiens a été terriblement cynique devant quiconque se posait ce genre de question. Nous sommes nés de parents issus de la génération du je-me-moi, des gens qui méditaient, allaient à Esalen* et nous emmenaient chez le thérapeute avec eux. Il était normal que nous nous rebellions contre tout ce qui pouvait ressembler, de près ou de loin, à de la spiritualité ou à de l'introspection. Cela ne me gêne plus maintenant. Simplement, je veux savoir.

J'ai alors résumé ses propos et j'en ai fait deux vœux :

— Premièrement, tu aurais aimé découvrir qui tu es réellement et pourquoi tu es ici. Ça c'est le plus important.

Il a acquiescé.

— Deuxièmement, tu aurais souhaité donner ta pleine mesure de créativité.

— Oui, a-t-il ajouté, mais je voudrais aussi la reconnaissance, la célébrité et toutes sortes d'autres choses liées à l'ego.

Je lui ai demandé de penser à une œuvre qui combinerait la réalisation de ses deux vœux.

— J'aurais aimé produire un film ayant des qualités artistiques et qui traite de questions importantes, comme qui nous sommes et pourquoi nous sommes ici.

---

* Institut qui est un centre d'éducation d'inspiration Nouvel Âge (*N.d.T.*).

Lorsque je lui ai demandé de formuler ses vœux au présent de manière à en faire des affirmations dont il pourrait s'inspirer, voici ce qu'il a dit :

— Je comprends parfaitement le pourquoi de mon existence sur terre.

Et :

— Par le biais de l'art, je réussis à exprimer les idées qui me sont chères.

Je l'ai invité à garder ses deux vœux dans la fervente intention de mener une existence en tous points florissante, et il a répondu :

— Mon travail est tellement bien accueilli que j'ai toujours les moyens d'avoir une vie merveilleuse et de produire d'autres œuvres d'art de qualité.

Je lui ai demandé de répéter ces phrases jusqu'à ce qu'il se sente en harmonie avec elles aussi bien dans son corps que dans son esprit. Je l'examinais attentivement pendant qu'il s'exécutait et au bout d'environ une minute, j'ai aperçu ce que je voulais : la naissance soudaine d'un sourire sur son visage signalant que la connexion était établie. Je savais qu'à ce moment précis, les nouvelles idées qu'il avait en tête venaient de toucher son corps, là où elles pouvaient prendre forme parce qu'elles étaient vraies.

Je suis heureux de vous apprendre que depuis qu'il a formulé ses vœux, Michael n'a pas cessé de se voir offrir des rôles et des contrats de mise en scène, y compris un rôle important créé sur mesure pour lui dans le film inspiré de la populaire télésérie *24*. J'ai très hâte de savoir ce que l'avenir réserve à ce garçon bourré de talent.

REMERCIEMENTS

J'aimerais tout d'abord remercier Neale Donald Walsch, qui m'a inspiré la rédaction de ce livre. Son intuition, ses conseils et sa bonté me sont précieux. Merci, Neale, de ta généreuse contribution à notre monde.

Le souvenir d'Ed Steinbrecher ne manque jamais de faire naître un sourire sur mes lèvres et un chaleureux sentiment de gratitude dans mon cœur. Nous ne nous sommes rencontrés que brièvement lors de son séjour ici-bas, mais il restera pour moi un éternel point d'ancrage.

Merci à Marc Allen et à ses collègues de New World Library de s'être si bien occupés de mon livre. Je suis particulièrement reconnaissant à Kristen Cashman de son travail de révision inspiré et nuancé.

Je salue également Bonnie Solow, excellent agent littéraire, précieuse amie et conseillère avisée. Kathlyn et moi l'adorons et sa présence dans notre vie nous inspire une vive gratitude.

Je salue bien bas les milliers de personnes que j'ai accompagnées au fil des ans dans la démarche des cinq vœux. Je vous suis extrêmement reconnaissant de m'avoir aidé à comprendre et à approfondir les multiples facettes de ce processus. J'espère que vous en avez bénéficié autant que moi de nos conversations.

J'ai la chance d'être entouré d'une famille aimante et d'un merveilleux cercle d'amis — dont certains habitent à côté et d'autres au bout du monde. À eux tous, ils me donnent un petit supplément d'âme dont je ne saurais me passer. Je serai éternellement reconnaissant à Amanda, Chris, Helen, Mike, Elsie, Imogen et aux autres membres de notre petit clan un peu spécial, de l'amour qu'ils me prodiguent et de leur contribution originale à notre monde : votre exemple est à suivre ! J'aimerais également remercier Monika Krajewska, Stephen Simon, Arielle Ford et les autres membres de notre équipe de m'avoir appris que le travail et l'amour sont une seule et même chose.

En terminant, j'aimerais exprimer mon infinie gratitude à Kathlyn, ma femme et ma collaboratrice. Depuis maintenant vingt-sept ans, j'ai le rare plaisir de m'éveiller le matin en me disant que je suis l'homme le plus chanceux du monde et en espérant que nos gènes, nos saines habitudes de vie, et les dieux nous soient favorables pour au moins vingt-sept autres années. Je continuerai de compter sur ma bonne étoile.

UN MOT SUR L'AUTEUR

GAY HENDRICKS est connu dans le monde entier pour ses livres, ses séminaires, ainsi que ses productions web et cinématographiques. Titulaire d'un doctorat en psychologie décerné par l'université Stanford en 1974, il a signé une vingtaine d'ouvrages, dont les best-sellers *L'amour lucide*, *Le pouvoir d'une seule pensée*, et *The Corporate Mystic*. Il a également fondé de nombreux organismes, notamment le Hendricks Institute, la Foundation for Concious Living, le Spiritual Cinema Circle et l'Illumination University. Il donne de nombreuses conférences et anime une émission hebdomadaire à la Hay House Radio. Il habite à Ojai, en Californie, avec sa femme Kathlyn Hendricks. Pour plus de renseignements, rendez-vous au www.hendricks.com

Autres livres de l'auteur

Le pouvoir d'une seule pensée

Retour aux sources

Pour obtenir une copie de notre catalogue :

Éditions AdA Inc.
1385, boul. Lionel-Boulet, Varennes, Québec, J3X 1P7
Télécopieur : (450) 929-0220
info@ada-inc.com
www.ada-inc.com

Pour l'Europe :

France : D.G. Diffusion Tél.: 05.61.00.09.99
Belgique : D.G. Diffusion Tél.: 05.61.00.09.99
Suisse : Transat Tél.: 23.42.77.40

www.AdA-inc.com
info@AdA-inc.com